Астрид
Линдгрен

# Малыш и Карлсон,

## который живёт на крыше

*Сказочная повесть*

Перевод со шведского
Лилианны Лунгиной

Иллюстрации
Арсена Джаникяна

Москва
«Махаон»

УДК 821.113.6
ББК 84(4Шве)
Л59

ASTRID LINDGREN
Lillebror och Karlsson på taket
1955

*First published in 1955 by Rabén & Sjögren, Sweden.*
*For more information about Astrid Lindgren, see www.astridlindgren.com.*
*All foreign rights are handled by The Astrid Lindgren Company, Lidingö, Sweden.*
*For more information, please contact info@astridlindgren.se*

**Линдгрен А.**

Л59    Малыш и Карлсон, который живёт на крыше : сказочная повесть / Астрид Линдгрен ; пер. со шведск. Л. Лунгиной ; худож. А. Джаникян. — М. : Махаон, Азбука-Аттикус, 2020. –176 с. : ил.

ISBN 978-5-389-11012-0

Представьте, что однажды мимо вашего окна с жужжанием пролетит маленький толстенький человечек с моторчиком и пропеллером на спине и скажет: «Привет! Можно мне здесь на минуточку приземлиться?» Именно так познакомились герои одной из самых популярных детских книжек – Малыш и Карлсон, который живёт на крыше. А написала её Астрид Линдгрен, замечательная шведская писательница, автор тридцати книг для детей, переведённых почти на все языки мира. Они удостоены самых престижных премий, в том числе золотой медали Андерсена («малой Нобелевской»), по ним сняты художественные и мультипликационные фильмы, поставлены театральные спектакли.

**УДК 821.113.6**
**ББК 84(4Шве)**

ISBN 978-5-389-11012-0

# Карлсон, который живёт на крыше

**В** городе Стокгольме на самой обыкновенной улице в самом обыкновенном доме живёт самая обыкновенная шведская семья по фамилии Свантесон. Семья эта состоит из самого обыкновенного папы, самой обыкновенной мамы и трёх самых обыкновенных ребят – Боссе, Бетан и Малыша.

– Я вовсе не самый обыкновенный малыш, – говорит Малыш.

Но это, конечно, неправда. Ведь на свете столько мальчишек, которым семь лет, у которых голубые глаза, немытые уши и разорванные на коленках штанишки, что сомневаться тут нечего: Малыш – самый обыкновенный мальчик.

Боссе пятнадцать лет, и он с большей охотой стоит в футбольных воротах, чем у школьной доски, а значит – он тоже самый обыкновенный мальчик.

Бетан четырнадцать лет, и у неё косы точь-в-точь такие же, как у других самых обыкновенных девочек.

Во всём доме есть только одно не совсем обыкновенное существо – Карлсон, который живёт на крыше. Да, он живёт на крыше, и одно это уже необыкновенно. Быть может, в других городах дело обстоит иначе, но в Стокгольме почти никогда не случается, чтобы кто-нибудь жил на крыше, да ещё в отдельном маленьком домике. А вот Карлсон, представьте себе, живёт именно там.

Карлсон – это маленький толстенький самоуверенный человечек, и к тому же он умеет летать. На самолётах и вертолётах летать могут все, а вот Карлсон умеет летать сам по себе. Стоит ему только нажать кнопку на животе, как у него за спиной тут же начинает работать хитроумный моторчик. С минуту, пока пропеллер не раскрутится как следует, Карлсон стоит неподвижно, но когда мотор заработает вовсю, Карлсон взмывает ввысь и летит, слегка покачиваясь, с таким важным и достойным видом, словно какой-нибудь директор, – конечно, если можно себе представить директора с пропеллером за спиной.

Карлсону прекрасно живётся в маленьком домике на крыше. По вечерам он сидит на крылечке, покуривает трубку да глядит на звёзды. С крыши, разумеется, звёзды видны лучше, чем из окон, и поэтому можно только удивляться, что так мало людей живёт на крышах. Должно быть, другие жильцы просто не догадываются поселиться на крыше. Ведь они не знают, что у Карлсона там свой домик, потому что домик этот спрятан за большой дымовой трубой. И вообще, станут ли взрослые обращать внимание на какой-то там крошечный домик, даже если и споткнутся о него?

Как-то раз один трубочист вдруг увидел домик Карлсона. Он очень удивился и сказал самому себе:

– Странно... Домик?.. Не может быть! На крыше стоит маленький домик?.. Как он мог здесь оказаться?

Затем трубочист полез в трубу, забыл про домик и уж никогда больше о нём не вспоминал.

Малыш был очень рад, что познакомился с Карлсоном. Как только Карлсон прилетал, начина-

лись необычайные приключения. Карлсону, должно быть, тоже было приятно познакомиться с Малышом. Ведь что ни говори, а не очень-то уютно жить одному в маленьком домике, да ещё в таком, о котором никто и не слышал. Грустно, если некому крикнуть: «Привет, Карлсон!», когда ты пролетаешь мимо.

Их знакомство произошло в один из тех неудачных дней, когда быть Малышом не доставляло никакой радости, хотя обычно быть Малышом чудесно. Ведь Малыш – любимец всей семьи, и каждый балует его как только может. Но в тот день всё шло шиворот-навыворот. Мама выругала его за то, что он опять разорвал штаны, Бетан крикнула ему: «Вытри нос!», а папа рассердился, потому что Малыш поздно пришёл из школы.

– По улицам слоняешься! – сказал папа.

«По улицам слоняешься!» Но ведь папа не знал, что по дороге домой Малышу повстречался щенок. Милый, прекрасный щенок, который обнюхал Малыша и приветливо завилял хвостом, словно хотел стать его щенком.

Если бы это зависело от Малыша, то желание щенка осуществилось бы тут же. Но беда заключалась в том, что мама и папа ни за что не хотели держать в доме собаку. А кроме того, из-за угла вдруг появилась какая-то тётка и закричала: «Рики!

Рики! Сюда!» – и тогда Малышу стало совершенно ясно, что этот щенок уже никогда не станет *его* щенком.

– Похоже, что так всю жизнь и проживёшь без собаки, – с горечью сказал Малыш, когда всё обернулось против него. – Вот у тебя, мама, есть папа; и Боссе с Бетан тоже всегда вместе. А у меня – у меня никого нет!..

– Дорогой Малыш, ведь у тебя все мы! – сказала мама.

– Не знаю... – с ещё большей горечью произнёс Малыш, потому что ему вдруг показалось, что у него действительно никого и ничего нет на свете.

Впрочем, у него была своя комната, и он туда отправился.

Стоял ясный весенний вечер, окна были открыты, и белые занавески медленно раскачивались, словно здороваясь с маленькими бледными звёздами, только что появившимися на чистом весеннем небе. Малыш облокотился о подоконник и стал смотреть в окно. Он думал о том прекрасном щенке, который повстречался ему сегодня. Быть может, этот щенок лежит сейчас в корзинке на кухне и какой-нибудь мальчик – не Малыш, а другой – сидит рядом с ним на полу, гладит его косматую голову и приговаривает: «Рики, ты чудесный пёс!»

Малыш тяжело вздохнул. Вдруг он услышал какое-то слабое жужжание. Оно становилось всё громче и громче, и вот, как это ни покажется странным, мимо окна пролетел толстый человечек. Это и был Карлсон, который живёт на крыше. Но ведь в то время Малыш ещё не знал его.

Карлсон окинул Малыша внимательным, долгим взглядом и полетел дальше. Набрав высоту, он сделал небольшой круг над крышей, облетел вокруг трубы и повернул назад, к окну. Затем он прибавил скорость и пронёсся мимо Малыша как настоящий маленький самолёт. Потом сделал второй круг. Потом третий.

Малыш стоял не шелохнувшись и ждал, что будет дальше. У него просто дух захватило от волнения и по спине побежали мурашки – ведь не каждый день мимо окон пролетают маленькие толстые человечки.

А человечек за окном тем временем замедлил ход и, поравнявшись с подоконником, сказал:

– Привет! Можно мне здесь на минуточку приземлиться?

– Да, да, пожалуйста, – поспешно ответил Малыш и добавил: – А что, трудно вот так летать?

– Мне – ни капельки, – важно произнёс Карлсон, – потому что я лучший в мире летун! Но я не советовал бы увальню, похожему на мешок с сеном, подражать мне.

Малыш подумал, что на «мешок с сеном» обижаться не стоит, но решил никогда не пробовать летать.

– Как тебя зовут? – спросил Карлсон.

– Малыш. Хотя по-настоящему меня зовут Сва́нте Свантесон.

– А меня, как это ни странно, зовут Карлсон. Просто Карлсон, и всё. Привет, Малыш!

– Привет, Карлсон! – сказал Малыш.

– Сколько тебе лет? – спросил Карлсон.

– Семь, – ответил Малыш.

– Отлично. Продолжим разговор, – сказал Карлсон.

Затем он быстро перекинул через подоконник одну за другой свои маленькие толстенькие ножки и очутился в комнате.

– А тебе сколько лет? – спросил Малыш, решив, что Карлсон ведёт себя уж слишком ребячливо для взрослого дяди.

– Сколько мне лет? – переспросил Карлсон. – Я мужчина в самом расцвете сил, больше я тебе ничего не могу сказать.

Малыш в точности не понимал, что значит быть мужчиной в самом расцвете сил. Может быть, он тоже мужчина в самом расцвете сил, но только ещё не знает об этом? Поэтому он осторожно спросил:

— А в каком возрасте бывает расцвет сил?

— В любом! — ответил Карлсон с довольной улыбкой. — В любом, во всяком случае, когда речь идёт обо мне. Я красивый, умный и в меру упитанный мужчина в самом расцвете сил!

Он подошёл к книжной полке Малыша и вытащил стоявшую там игрушечную паровую машину.

— Давай запустим её, — предложил Карлсон.

— Без папы нельзя, — сказал Малыш. — Машину можно запускать только вместе с папой или Боссе.

— С папой, с Боссе или с Карлсоном, который живёт на крыше. Лучший в мире специалист по паровым машинам — это Карлсон, который живёт на крыше. Так и передай своему папе! — сказал Карлсон.

Он быстро схватил бутылку с денатуратом, которая стояла рядом с машиной, наполнил маленькую спиртовку и зажёг фитиль.

Хотя Карлсон и был лучшим в мире специалистом по паровым машинам, денатурат он наливал весьма неуклюже и даже пролил его, так что на полке образовалось целое денатуратное озеро. Оно тут же загорелось, и на полированной поверхности заплясали весёлые голубые язычки пламени. Малыш испуганно вскрикнул и отскочил.

– Спокойствие, только спокойствие! – сказал Карлсон и предостерегающе поднял свою пухлую ручку.

Но Малыш не мог стоять спокойно, когда видел огонь. Он быстро схватил тряпку и прибил пламя. На полированной поверхности полки осталось несколько больших безобразных пятен.

– Погляди, как испортилась полка! – озабоченно произнёс Малыш. – Что теперь скажет мама?

– Пустяки, дело житейское! Несколько крошечных пятнышек на книжной полке – это дело житейское. Так и передай своей маме.

Карлсон опустился на колени возле паровой машины, и глаза его заблестели.

– Сейчас она начнёт работать.

И действительно, не прошло и секунды, как паровая машина заработала. Фут, фут, фут... – пыхтела она. О, это была самая прекрасная из всех паровых машин, какие только можно себе вообразить, и Карлсон выглядел таким гордым и счастливым, будто сам её изобрёл.

– Я должен проверить предохранительный клапан, – вдруг произнёс Карлсон и принялся крутить какую-то маленькую ручку. – Если не проверить предохранительные клапаны, случаются аварии.

Фут-фут-фут... – пыхтела машина всё быстрее и быстрее. – Фут-фут-фут!.. Под конец она стала задыхаться, точно мчалась галопом. Глаза у Карлсона сияли.

А Малыш уже перестал горевать по поводу пятен на полке. Он был счастлив, что у него есть такая чудесная паровая машина и что он познакомился с Карлсоном, лучшим в мире специалистом по паровым машинам, который так искусно проверил её предохранительный клапан.

– Ну, Малыш, – сказал Карлсон, – вот это действительно «фут-фут-фут»! Вот это я понимаю! Лучший в мире спе...

Но закончить Карлсон не успел, потому что в этот момент раздался громкий взрыв и паровой машины не стало, а обломки её разлетелись по всей комнате.

– Она взорвалась! – в восторге закричал Карлсон, словно ему удалось проделать с паровой машиной самый интересный фокус. – Честное слово, она взорвалась! Какой грохот! Вот здорово!

Но Малыш не мог разделить радость Карлсона. Он стоял растерянный, с глазами, полными слёз.

– Моя паровая машина... – всхлипывал он. – Моя паровая машина развалилась на куски!

– Пустяки, дело житейское! – И Карлсон беспечно махнул своей маленькой пухлой рукой. –

Я тебе дам ещё лучшую машину, – успокаивал он Малыша.

– Ты? – удивился Малыш.

– Конечно. У меня там, наверху, несколько тысяч паровых машин.

– Где это у тебя там, наверху?

– Наверху, в моём домике на крыше.

– У тебя есть домик на крыше? – переспросил Малыш. – И несколько тысяч паровых машин?

– Ну да. Уж сотни две наверняка.

– Как бы мне хотелось побывать в твоём домике! – воскликнул Малыш.

В это было трудно поверить: маленький домик на крыше, и в нём живёт Карлсон...

– Подумать только, дом, набитый паровыми машинами! – воскликнул Малыш. – Две сотни машин!

– Ну, я в точности не считал, сколько их там осталось, – уточнил Карлсон, – но уж никак не меньше нескольких дюжин.

– И ты мне дашь одну машину?

– Ну конечно!

– Прямо сейчас?

– Нет, сначала мне надо их немножко осмотреть, проверить предохранительные клапаны... ну, и тому подобное. Спокойствие, только спокойствие! Ты получишь машину на днях.

Малыш принялся собирать с пола куски того, что раньше было его паровой машиной.

— Представляю, как рассердится папа, — озабоченно пробормотал он.

Карлсон удивлённо поднял брови:

— Из-за паровой машины? Да ведь это же пустяки, дело житейское. Стоит ли волноваться по такому поводу! Так и передай своему папе. Я бы ему это сам сказал, но спешу и поэтому не могу здесь задерживаться... Мне не удастся сегодня встретиться с твоим папой. Я должен слетать домой, поглядеть, что там делается.

— Это очень хорошо, что ты попал ко мне, — сказал Малыш. — Хотя, конечно, паровая машина... Ты ещё когда-нибудь залетишь сюда?

— Спокойствие, только спокойствие! — сказал Карлсон и нажал кнопку на своём животе.

Мотор загудел, но Карлсон всё стоял неподвижно и ждал, пока пропеллер раскрутится во всю мощь. Но вот Карлсон оторвался от пола и сделал несколько кругов.

— Мотор что-то барахлит. Надо будет залететь в мастерскую, чтобы его там смазали. Конечно, я и сам мог бы это сделать, да, беда, нет времени... Думаю, что я всё-таки загляну в мастерскую.

Малыш тоже подумал, что так будет разумнее.

Карлсон вылетел в открытое окно; его маленькая толстенькая фигурка чётко вырисовывалась на весеннем, усыпанном звёздами небе.

– Привет, Малыш! – крикнул Карлсон, помахал своей пухлой ручкой и скрылся.

# Карлсон строит башню

—**Я** ведь вам уже говорил, что его зовут Карлсон и что он живёт там, наверху, на крыше, – сказал Малыш. – Что же здесь особенного? Разве люди не могут жить, где им хочется?..

– Не упрямься, Малыш, – сказала мама. – Если бы ты знал, как ты нас напугал! Настоящий взрыв. Ведь тебя могло убить! Неужели ты не понимаешь?

– Понимаю, но всё равно Карлсон – лучший в мире специалист по паровым машинам, – ответил Малыш и серьёзно посмотрел на свою маму.

Ну как она не понимает, что невозможно сказать «нет», когда лучший в мире специалист по паровым машинам предлагает проверить предохранительный клапан!

— Надо отвечать за свои поступки, — строго сказал папа, — а не сваливать вину на какого-то Карлсона с крыши, которого вообще не существует.

— Нет, — сказал Малыш, — существует!

— Да ещё и летать умеет! — насмешливо подхватил Боссе.

— Представь себе, умеет, — отрезал Малыш. — Я надеюсь, что он залетит к нам, и ты сам увидишь.

— Хорошо бы он залетел завтра, — сказала Бетан. — Я дам тебе крону, Малыш, если увижу своими глазами Карлсона, который живёт на крыше.

— Нет, завтра ты его не увидишь — завтра он должен слетать в мастерскую смазать мотор.

— Ну, хватит рассказывать сказки, — сказала мама. — Ты лучше погляди, на что похожа твоя книжная полка.

— Карлсон говорит, что это пустяки, дело житейское! — И Малыш махнул рукой, точь-в-точь как махал Карлсон, давая понять, что вовсе не стоит расстраиваться из-за каких-то там пятен на полке.

Но ни слова Малыша, ни этот жест не произвели на маму никакого впечатления.

– Вот, значит, как говорит Карлсон? – строго сказала она. – Тогда передай ему, что, если он ещё раз сунет сюда свой нос, я его так отшлёпаю – век будет помнить.

Малыш ничего не ответил. Ему показалось ужасным, что мама собирается отшлёпать лучшего в мире специалиста по паровым машинам. Да, ничего хорошего нельзя было ожидать в такой неудачный день, когда буквально всё шло шиворот-навыворот.

И вдруг Малыш почувствовал, что он очень соскучился по Карлсону – бодрому, весёлому человечку, который так потешно махал своей маленькой рукой, приговаривая: «Неприятности – это пустяки, дело житейское, и расстраиваться тут нечего». «Неужели Карлсон больше никогда не прилетит?» – с тревогой подумал Малыш.

– Спокойствие, только спокойствие! – сказал себе Малыш, подражая Карлсону. – Карлсон ведь обещал, а он такой, что ему можно верить, это сразу видно. Через денёк-другой он прилетит, наверняка прилетит.

...Малыш лежал на полу в своей комнате и читал книгу, когда снова услышал за окном какое-то жужжание, и, словно гигантский шмель, в комнату влетел Карлсон. Он сделал несколько кругов под потолком, напевая вполголоса какую-то весёлую песенку. Пролетая мимо висящих на стенах картин, он всякий раз сбавлял скорость, чтобы лучше их рассмотреть. При этом он склонял набок голову и прищуривал глазки.

— Красивые картины, — сказал он наконец. — Необычайно красивые картины! Хотя, конечно, не такие красивые, как мои.

Малыш вскочил на ноги и стоял, не помня себя от восторга: так он был рад, что Карлсон вернулся.

— А у тебя там на крыше много картин? — спросил он.

— Несколько тысяч. Ведь я сам рисую в свободное время. Я рисую маленьких петухов и птиц и другие красивые вещи. Я лучший в мире рисовальщик петухов, — сказал Карлсон и, сделав изящный разворот, приземлился на пол рядом с Малышом.

— Что ты говоришь! — удивился Малыш. — А нельзя ли мне подняться с тобой на крышу? Мне так хочется увидеть твой дом, твои паровые машины и твои картины!..

— Конечно, можно, — ответил Карлсон, — само собой разумеется. Ты будешь дорогим гостем... как-нибудь в другой раз.

— Поскорей бы! — воскликнул Малыш.

— Спокойствие, только спокойствие! — сказал Карлсон. — Я должен сначала прибрать у себя в доме. Но на это не уйдёт много времени. Ты ведь догадываешься, кто лучший в мире мастер скоростной уборки комнат?

— Наверно, ты, — робко сказал Малыш.

— «Наверно»! — возмутился Карлсон. — Ты ещё говоришь «наверно»! Как ты можешь сомневаться! Карлсон, который живёт на крыше, — лучший в мире мастер скоростной уборки комнат. Это всем известно.

Малыш не сомневался, что Карлсон во всём «лучший в мире». И уж наверняка он самый лучший в мире товарищ по играм. В этом Малыш убедился на собственном опыте... Правда, Кристер, и Гунилла тоже хорошие товарищи, но им далеко до Карлсона, который живёт на крыше! Кристер только и делает, что хвалится своей собакой Ёффой, и Малыш ему давно завидует.

«Если он завтра опять будет хвастаться Ёффой, я ему расскажу про Карлсона. Что стоит его Ёффа по сравнению с Карлсоном, который живёт на крыше! Так я ему и скажу».

И всё же ничего на свете Малыш так страстно не желал иметь, как собаку...

Карлсон прервал размышления Малыша.

– Я бы не прочь сейчас слегка поразвлечься, – сказал он и с любопытством огляделся вокруг. – Тебе не купили новой паровой машины?

Малыш покачал головой. Он вспомнил о своей паровой машине и подумал: «Вот сейчас, когда Карлсон здесь, мама и папа смогут убедиться, что он в самом деле существует». А если Боссе и Бетан дома, то им он тоже покажет Карлсона.

– Хочешь пойти познакомиться с моими мамой и папой? – спросил Малыш.

– Конечно! С восторгом! – ответил Карлсон. – Им будет очень приятно меня увидеть – ведь я такой красивый и умный... – Карлсон с довольным видом прошёлся по комнате. – И в меру упитанный, – добавил он. – Короче, мужчина в самом расцвете сил. Да, твоим родителям будет очень приятно со мной познакомиться.

По доносившемуся из кухни запаху жарящихся мясных тефтелей Малыш понял, что скоро будут обедать. Подумав, он решил свести Карлсона познакомиться со своими родными после обеда. Во-первых, никогда ничего хорошего не получается, когда маме мешают жарить тефтели. А кроме того, вдруг папа или мама вздумают завести с Карлсоном разговор о паровой машине или о пятнах на книжной полке... А такого разговора ни в коем случае нельзя допускать. Во время обеда Малыш постарается втолковать и папе и маме, как надо относиться к лучшему в мире специалисту по паровым машинам. Вот когда они пообедают и всё поймут, Малыш пригласит всю семью к себе в комнату.

«Будьте добры, – скажет Малыш, – пойдёмте ко мне. У меня в гостях Карлсон, который живёт на крыше».

Как они изумятся! Как будет забавно глядеть на их лица!

Карлсон вдруг перестал расхаживать по комнате. Он замер на месте и стал принюхиваться, словно ищейка.

– Мясные тефтели, – сказал он. – Обожаю сочные вкусные тефтели!

Малыш смутился. Собственно говоря, на эти слова Карлсона надо было бы ответить только одно: «Если хочешь, останься и пообедай с нами». Но Малыш не решился произнести такую фразу. Невозможно привести Карлсона к обеду без предварительного объяснения с родителями. Вот Кристера и Гуниллу – это другое дело. С ними Малыш может примчаться в последнюю минуту, когда все остальные уже сидят за столом, и сказать: «Милая мама, дай, пожалуйста, Кристеру и Гунилле горохового супа и блинов». Но привести к обеду совершенно незнакомого маленького толстого человечка, который к тому же взорвал паровую машину и прожёг книжную полку, – нет, этого так просто сделать нельзя!

Но ведь Карлсон только что заявил, что обожает сочные вкусные мясные тефтели, – значит, надо во что бы то ни стало угостить его тефтелями, а то он ещё обидится на Малыша и больше не захочет с ним играть... Ах, как много теперь зависело от этих вкусных мясных тефтелей!

– Подожди минутку, – сказал Малыш. – Я сбегаю на кухню за тефтелями.

Карлсон одобряюще кивнул головой.

– Неси скорей! – крикнул он вслед Малышу. – Одними картинами сыт не будешь!

Малыш примчался на кухню. Мама в клетчатом переднике стояла у плиты и жарила превосходные тефтели. Время от времени она встряхивала большую сковородку, и плотно уложенные маленькие мясные шарики подскакивали и переворачивались на другую сторону.

– А, это ты, Малыш? – сказала мама. – Скоро будем обедать.

– Мамочка, – произнёс Малыш самым вкрадчивым голосом, на который был только способен, – мамочка, положи, пожалуйста, несколько тефтелек на блюдце, и я отнесу их в свою комнату.

– Сейчас, сынок, мы сядем за стол, – ответила мама.

– Я знаю, но всё равно мне очень нужно... После обеда я тебе объясню, в чём дело.

– Ну ладно, ладно, – сказала мама и положила на маленькую тарелочку шесть тефтелей. – На, возьми.

О чудесные маленькие тефтели! Они пахли так восхитительно и были такие поджаристые, румяные – словом, такие, какими и должны быть хорошие мясные тефтели!

Малыш взял тарелку обеими руками и осторожно понёс её в свою комнату.

– Вот и я, Карлсон! – крикнул Малыш, отворяя дверь.

Но Карлсон исчез. Малыш стоял с тарелкой посреди комнаты и оглядывался по сторонам. Никакого Карлсона не было. Это было так грустно, что у Малыша сразу же испортилось настроение.

– Он ушёл, – сказал вслух Малыш. – Он ушёл.

Но вдруг...

– Пип! – донёсся до Малыша какой-то странный писк.

Малыш повернул голову. На кровати, рядом с подушкой, под одеялом, шевелился какой-то маленький комок и пищал:

– Пип! Пип!

А затем из-под одеяла выглянуло лукавое лицо Карлсона.

– Хи-хи! Ты сказал: «он ушёл», «он ушёл»... Хи-хи! А «он» вовсе не ушёл – «он» только спрятался!.. – пропищал Карлсон.

Но тут он увидел в руках Малыша тарелочку и мигом нажал кнопку на животе. Мотор загудел, Карлсон стремительно спикировал с кровати прямо к тарелке с тефтелями. Он на лету схватил тефтельку, потом взвился к потолку и, сделав небольшой круг под лампой, с довольным видом принялся жевать.

– Восхитительные тефтельки! – воскликнул Карлсон. – На редкость вкусные тефтельки! Можно подумать, что их делал лучший в мире специалист по тефтелям!.. Но ты, конечно, знаешь, что это не так, – добавил он.

Карлсон снова спикировал к тарелке и взял ещё одну тефтельку.

В этот момент из кухни послышался мамин голос:

– Малыш, мы садимся обедать, быстро мой руки!

– Мне надо идти, – сказал Малыш Карлсону и поставил тарелочку на пол. – Но я очень скоро вернусь. Обещай, что ты меня дождёшься.

– Хорошо, дождусь, – сказал Карлсон. – Но что мне здесь делать без тебя? – Карлсон спланировал на пол и приземлился возле Малыша. – Пока тебя

не будет, я хочу заняться чем-нибудь интересным. У тебя правда нет больше паровых машин?

— Нет, — ответил Малыш. — Машин нет, но есть кубики.

— Покажи, — сказал Карлсон.

Малыш достал из шкафа, где лежали игрушки, ящик со строительным набором. Это был и в самом деле великолепный строительный материал — разноцветные детали различной формы. Их можно было соединять друг с другом и строить всевозможные вещи.

— Вот, играй, — сказал Малыш. — Из этого набора можно сделать и автомобиль, и подъёмный кран, и всё, что хочешь...

— Неужели лучший в мире строитель не знает, — прервал Малыша Карлсон, — что́ можно построить из этого строительного материала!

Карлсон сунул себе в рот ещё одну тефтельку и кинулся к ящику с кубиками.

— Сейчас ты увидишь, — проговорил он и вывалил все кубики на пол. — Сейчас ты увидишь...

Но Малышу надо было идти обедать. Как охотно он остался бы здесь понаблюдать за работой лучшего в мире строителя! С порога он ещё раз оглянулся на Карлсона и увидел, что тот уже сидит на полу возле горы кубиков и радостно напевает себе под нос:

Ура, ура, ура!
Прекрасная игра!
Красив я и умён,
И ловок, и силён!
Люблю играть, люблю... жевать.

Последние слова он пропел, проглотив четвёртую тефтельку.

Когда Малыш вошёл в столовую, мама, папа, Боссе и Бетан уже сидели за столом. Малыш шмыгнул на своё место и повязал вокруг шеи салфетку.

– Обещай мне одну вещь, мама. И ты, папа, тоже, – сказал он.

– Что же мы должны тебе обещать? – спросила мама.

– Нет, ты раньше обещай!

Папа был против того, чтобы обещать вслепую.

– А вдруг ты опять попросишь собаку? – сказал папа.

– Нет, не собаку, – ответил Малыш. – А кстати, собаку ты мне тоже можешь обещать, если хочешь!.. Нет, это совсем другое и нисколечко не опасное. Обещайте, что вы обещаете!

– Ну ладно, ладно, – сказала мама.

– Значит, вы обещали, – радостно подхватил Малыш, – ничего не говорить насчёт паровой машины Карлсону, который живёт на крыше...

– Интересно, – сказала Бетан, – как они могут что-нибудь сказать или не сказать Карлсону о паровой машине, раз они никогда с ним не встретятся?

– Нет, встретятся, – спокойно ответил Малыш, – потому что Карлсон сидит в моей комнате.

– Ой, я сейчас подавлюсь! – воскликнул Боссе. – Карлсон сидит в твоей комнате?

– Да, представь себе, сидит! – И Малыш с торжествующим видом поглядел по сторонам.

Только бы они поскорее пообедали, и тогда они увидят…

– Нам было бы очень приятно познакомиться с Карлсоном, – сказала мама.

– Карлсон тоже так думает! – ответил Малыш.

Наконец доели компот. Мама поднялась из-за стола. Настал решающий миг.

– Пойдёмте все, – предложил Малыш.

– Тебе не придётся нас упрашивать, – сказала Бетан. – Я не успокоюсь, пока не увижу этого самого Карлсона.

Малыш шёл впереди.

– Только исполните, что обещали, – сказал он, подойдя к двери своей комнаты. – Ни слова о паровой машине!

Затем он нажал дверную ручку и открыл дверь.

Карлсона в комнате не было. На этот раз по-настоящему не было. Нигде. Даже в постели Малыша не шевелился маленький комок.

Зато на полу возвышалась башня из кубиков. Очень высокая башня. И хотя Карлсон мог бы, конечно, построить из кубиков подъёмные краны и любые другие вещи, на этот раз он просто ставил один кубик на другой, так что в конце концов получилась длинная-предлинная узкая башня, которая сверху была увенчана чем-то, что явно должно было изображать купол: на самом верхнем кубике лежала маленькая круглая мясная тефтелька.

# Карлсон играет в палатку

Да, это была для Малыша очень тяжёлая минута. Маме, конечно, не понравилось, что её тефтелями украшают башни из кубиков, и она не сомневалась, что это была работа Малыша.

– Карлсон, который живёт на крыше... – начал было Малыш, но папа строго прервал его:

– Вот что, Малыш: мы больше не хотим слушать твои выдумки про Карлсона!

Боссе и Бетан рассмеялись.

– Ну и хитрец же этот Карлсон! – сказала Бетан. – Он скрывается как раз в ту минуту, когда мы приходим.

Огорчённый Малыш съел холодную тефтельку и собрал свои кубики. Говорить о Карлсоне сейчас явно не стоило.

Но как нехорошо поступил с ним Карлсон, как нехорошо!

– А теперь мы пойдём пить кофе и забудем про Карлсона, – сказал папа и в утешение потрепал Малыша по щеке.

Кофе пили всегда в столовой у камина. Так было и сегодня вечером, хотя на дворе стояла тёплая, ясная весенняя погода и липы на улице уже оделись маленькими клейкими зелёными листочками. Малыш не любил кофе, но зато очень любил сидеть вот так с мамой, и папой, и Боссе, и Бетан перед огнём, горящим в камине...

– Мама, отвернись на минутку, – попросил Малыш, когда мама поставила на маленький столик перед камином поднос с кофейником.

– Зачем?

– Ты же не можешь видеть, как я грызу сахар, а я сейчас возьму кусок, – сказал Малыш.

Малышу надо было чем-то утешиться. Он был очень огорчён, что Карлсон удрал. Ведь действительно нехорошо так поступать – вдруг исчезнуть, ничего не оставив, кроме башни из кубиков, да ещё с мясной тефтелькой наверху!

Малыш сидел на своём любимом месте у камина – так близко к огню, как только возможно.

Вот эти минуты, когда вся семья после обеда пила кофе, были, пожалуй, самыми приятными за весь день. Тут можно было спокойно поговорить с папой и с мамой, и они терпеливо выслушивали Малыша, что не всегда случалось в другое время. Забавно было следить за тем, как Боссе и Бетан подтрунивали друг над другом и болтали о «зубрёжке». «Зубрёжкой», должно быть, назывался другой, более сложный способ приготовления уроков, чем тот, которому учили Малыша в начальной школе. Малышу тоже очень хотелось рассказать о своих школьных делах, но никто, кроме мамы и папы, этим не интересовался. Боссе и Бетан только смеялись над его рассказами, и Малыш замолкал – он боялся говорить то, над чем так обидно смеются. Впрочем, Боссе и Бетан старались не дразнить Малыша, потому что он им отвечал тем же. А дразнить Малыш умел прекрасно – да и как может быть иначе, когда у тебя такой брат, как Боссе, и такая сестра, как Бетан!

– Ну, Малыш, – спросила мама, – ты уже выучил уроки?

Нельзя сказать, чтобы такие вопросы были Малышу по душе, но раз уж мама так спокойно отнеслась к тому, что он съел кусок сахару, то и Малыш решил мужественно выдержать этот неприятный разговор.

– Конечно, выучил, – хмуро ответил он.

Всё это время Малыш думал только о Карлсоне. И как это люди не понимают, что, пока он не узнает, куда исчез Карлсон, ему не до уроков!

– А что вам задали? – спросил папа.

Малыш окончательно рассердился. Видно, этим разговорам сегодня конца не будет. Ведь не затем же они так уютно сидят сейчас у огня, чтобы только и делать, что говорить об уроках!

– Нам задали алфавит, – торопливо ответил он, – целый длиннющий алфавит. И я его знаю: сперва идёт «А», а потом все остальные буквы.

Он взял ещё кусок сахару и снова принялся думать о Карлсоне. Пусть себе болтают о чём хотят, а он будет думать только о Карлсоне.

От этих мыслей его оторвала Бетан:

– Ты что, не слышишь, Малыш? Хочешь заработать двадцать пять эре?[1]

Малыш не сразу понял, что она ему говорит. Конечно, он был не прочь заработать двадцать пять

---

[1] Эре – мелкая монета в Швеции.

эре. Но все зависело от того, что для этого надо сделать.

– Двадцать пять эре – это слишком мало, – твёрдо сказал он. – Сейчас ведь такая дороговизна... Как ты думаешь, сколько стоит, например, пятидесятиэровый стаканчик мороженого?

– Я думаю, пятьдесят эре, – хитро улыбнулась Бетан.

– Вот именно, – сказал Малыш. – И ты сама прекрасно понимаешь, что двадцать пять эре – это очень мало.

– Да ты ведь даже не знаешь, о чём идёт речь, – сказала Бетан. – Тебе ничего не придётся делать. Тебе нужно будет только кое-чего не делать.

– А что я должен буду не делать?

– Ты должен будешь в течение всего вечера не переступать порога столовой.

– Понимаешь, придёт Пелле, новое увлечение Бетан, – сказал Боссе.

Малыш кивнул. Ну ясно, ловко они всё рассчитали: мама с папой пойдут в кино, Боссе – на футбольный матч, а Бетан со своим Пелле проворкуют весь вечер в столовой. И лишь он, Малыш, будет изгнан в свою комнату, да ещё за такое ничтожное вознаграждение, как двадцать пять эре... Вот как к нему относятся в семье!

– А какие уши у твоего нового увлечения? Он что, такой же лопоухий, как и тот, прежний?

Это было сказано специально для того, чтобы позлить Бетан.

– Вот, слышишь, мама? – сказала она. – Теперь ты сама понимаешь, почему мне нужно убрать отсюда Малыша. Кто бы ко мне ни пришёл – он всех отпугивает!

– Он больше не будет так делать, – неуверенно сказала мама: она не любила, когда её дети ссорились.

– Нет, будет, наверняка будет! – стояла на своём Бетан. – Ты что, не помнишь, как он выгнал Клаа́са? Он уставился на него и сказал: «Нет, Бетан, такие уши одобрить невозможно». Ясно, что после этого Клаас и носа сюда не кажет.

– Спокойствие, только спокойствие! – проговорил Малыш тем же тоном, что и Карлсон. – Я останусь в своей комнате, и притом совершенно бесплатно. Если вы не хотите меня видеть, то и ваших денег мне не нужно.

– Хорошо, – сказала Бетан. – Тогда поклянись, что я не увижу тебя здесь в течение всего вечера.

– Клянусь! – сказал Малыш. – И поверь, что мне вовсе не нужны все твои Пелле. Я сам готов заплатить двадцать пять эре, только бы их не видеть.

И вот мама с папой отправились в кино, а Боссе умчался на стадион. Малыш сидел в своей комнате, и притом совершенно бесплатно. Когда он приоткрывал дверь, до него доносилось невнятное бормотание из столовой – там Бетан болтала со своим Пелле. Малыш постарался уловить, о чём они говорят, но это ему не удалось. Тогда он подошёл к окну и стал вглядываться в сумерки. Потом посмотрел вниз, на улицу, не играют ли там Кристер и Гунилла. У подъезда возились мальчишки, кроме них, на улице никого не было. Пока они дрались, Малыш с интересом следил за ними, но, к сожалению, драка быстро кончилась, и ему опять стало очень скучно.

И тогда он услышал божественный звук. Он услышал, как жужжит моторчик, и минуту спустя Карлсон влетел в окно.

– Привет, Малыш! – беззаботно произнёс он.

– Привет, Карлсон! Откуда ты взялся?

– Что?.. Я не понимаю, что ты хочешь сказать.

– Да ведь ты исчез и как раз в тот момент, когда я собирался тебя познакомить с моими мамой и папой. Почему ты удрал?

Карлсон явно рассердился. Он подбоченился и воскликнул:

– Нет, в жизни не слыхал ничего подобного! Может быть, я уже не имею права взглянуть,

что делается у меня дома? Хозяин обязан следить за своим домом. Чем я виноват, что твои мама и папа решили познакомиться со мной как раз в тот момент, когда я должен был заняться своим домом?

Карлсон оглядел комнату.

— А где моя башня? Кто разрушил мою прекрасную башню и где моя тефтелька?

Малыш смутился.

— Я не думал, что ты вернёшься, — сказал он.

— Ах так! — закричал Карлсон. — Лучший в мире строитель воздвигает башню — и что же происходит? Кто ставит вокруг неё ограду? Кто следит за тем, чтобы она осталась стоять во веки веков? Никто! Совсем наоборот: башню ломают, уничтожают да к тому же ещё и съедают чужую тефтельку!

Карлсон отошёл в сторону, присел на низенькую скамеечку и надулся.

— Пустяки, — сказал Малыш, — дело житейское! — И он махнул рукой точно так же, как это делал Карлсон. — Есть из-за чего расстраиваться!..

— Тебе хорошо рассуждать! — сердито пробурчал Карлсон. — Сломать легче всего. Сломать и сказать, что это, мол, дело житейское и не из-за чего расстраиваться. А каково мне, строителю, который воздвиг башню вот этими бедными маленькими руками!

И Карлсон ткнул свои пухленькие ручки прямо в нос Малышу. Потом он снова сел на скамеечку и надулся пуще прежнего.

— Я просто вне себя, — проворчал он, — ну просто выхожу из себя!

Малыш совершенно растерялся. Он стоял, не зная, что предпринять.

Молчание длилось долго.

В конце концов Карлсон сказал грустным голосом:

— Если я получу какой-нибудь небольшой подарок, то, быть может, опять повеселею. Правда, ручаться я не могу, но, возможно, всё же повеселею, если мне что-нибудь подарят...

Малыш подбежал к столу и начал рыться в ящике, где у него хранились самые драгоценные вещи: коллекция марок, разноцветные морские камешки, цветные мелки и оловянные солдатики.

Там же лежал и маленький электрический фонарик. Малыш им очень дорожил.

— Может быть, тебе подарить вот это? — сказал он.

Карлсон метнул быстрый взгляд на фонарик и оживился:

— Вот-вот, что-то в этом роде мне и нужно, чтобы у меня исправилось настроение. Конечно, моя башня была куда лучше, но, если ты мне даш этот фонарик, я постараюсь хоть немножко повеселеть.

— Он твой, — сказал Малыш.

— А он зажигается? — с сомнением спросил Карлсон, нажимая кнопку. — Ура! Горит! — вскричал он, и глаза его тоже загорелись. — Подумай только, когда тёмными осенними вечерами мне придётся идти к своему маленькому домику, я зажгу этот фонарик. Теперь я уже не буду блуждать в потёмках среди труб, — сказал Карлсон и погладил фонарик.

Эти слова доставили Малышу большую радость, и он мечтал только об одном — хоть раз погулять с Карлсоном по крышам и поглядеть, как этот фонарик будет освещать им путь в темноте.

— Ну, Малыш, вот я и снова весел! Зови своих маму и папу, и мы познакомимся.

— Они ушли в кино, — сказал Малыш.

— Пошли в кино, вместо того чтобы встретиться со мной? — изумился Карлсон.

— Да, все ушли. Дома только Бетан и её новое увлечение. Они сидят в столовой, но мне туда нельзя заходить.

— Что я слышу! — воскликнул Карлсон. — Ты не можешь пойти куда хочешь? Ну, этого мы не потерпим. Вперёд!..

— Но ведь я поклялся... — начал было Малыш.

– А я поклялся, – перебил его Карлсон, – что если замечу какую-нибудь несправедливость, то в тот же миг, как ястреб, кинусь на неё...

Он подошёл и похлопал Малыша по плечу:

– Что же ты обещал?

– Я обещал, что меня весь вечер не увидят в столовой.

– Тебя никто и не увидит, – сказал Карлсон. – А ведь тебе небось хочется посмотреть на новое увлечение Бетан?

– По правде говоря, очень! – с жаром ответил Малыш. – Прежде она дружила с мальчиком, у которого уши были оттопырены. Мне ужасно хочется поглядеть, какие уши у этого.

– Да и я бы охотно поглядел на его уши, – сказал Карлсон. – Подожди минутку! Я сейчас придумаю какую-нибудь штуку. Лучший в мире мастер на всевозможные проказы – это Карлсон, который живёт на крыше. – Карлсон внимательно огляделся по сторонам. – Вот то, что нам нужно! – воскликнул он, указав головой на одеяло. – Именно одеяло нам и нужно. Я не сомневался, что придумаю какую-нибудь штуку...

– Что же ты придумал? – спросил Малыш.

– Ты поклялся, что тебя весь вечер не увидят в столовой? Так? Но, если ты накроешься одеялом, тебя ведь никто и не увидит.

– Да... но... – попытался возразить Малыш.

– Никаких «но»! – резко оборвал его Карлсон. – Если ты будешь накрыт одеялом, увидят одеяло, а не тебя. Я тоже буду накрыт одеялом, поэтому и меня не увидят. Конечно, для Бетан нет худшего наказания. Но поделом ей, раз она такая глупая... Бедная, бедная малютка Бетан, так она меня и не увидит!

Карлсон стащил с кровати одеяло и накинул его себе на голову.

– Иди сюда, иди скорей ко мне, – позвал он Малыша. – Войди в мою палатку.

Малыш юркнул под одеяло к Карлсону, и они оба радостно захихикали.

– Ведь Бетан ничего не говорила о том, что она не хочет видеть в столовой палатку. Все люди радуются, когда видят палатку. Да ещё такую, в которой горит огонёк! – И Карлсон зажёг фонарик.

Малыш не был уверен, что Бетан уж очень обрадуется, увидев палатку. Но зато стоять рядом с Карлсоном в темноте под одеялом и светить фонариком было так здорово, так интересно, что просто дух захватывало.

Малыш считал, что можно с тем же успехом играть в палатку в его комнате, оставив в покое Бетан, но Карлсон никак не соглашался.

– Я не могу мириться с несправедливостью, – сказал он. – Мы пойдём в столовую, чего бы это ни стоило!

И вот палатка начала двигаться к двери. Малыш шёл вслед за Карлсоном. Из-под одеяла показалась маленькая пухлая ручка и тихонько отворила дверь. Палатка вышла в прихожую, отделённую от столовой плотной занавесью.

– Спокойствие, только спокойствие! – прошептал Карлсон.

Палатка неслышно пересекла прихожую и остановилась у занавеси. Бормотание Бетан и Пелле слышалось теперь явственнее, но всё же слов нельзя было разобрать. Лампа в столовой не горела. Бетан и Пелле сумерничали – видимо, им было достаточно света, который проникал через окно с улицы.

– Это хорошо, – прошептал Карлсон. – Свет моего фонарика в потёмках покажется ещё ярче.

Но пока он на всякий случай погасил фонарик.

– Мы появимся, как радостный, долгожданный сюрприз... – И Карлсон хихикнул под одеялом.

Тихо-тихо палатка раздвинула занавесь и вошла в столовую. Бетан и Пелле сидели на маленьком диванчике у противоположной стены. Тихо-тихо приближалась к ним палатка.

– Я тебя сейчас поцелую, Бетан, – услышал Малыш хриплый мальчишечий голос.

Какой он чудно́й, этот Пелле!

– Ладно, – сказала Бетан, и снова наступила тишина.

Тёмное пятно палатки бесшумно скользило по полу; медленно и неумолимо надвигалось оно на диван. До дивана оставалось всего несколько шагов, но Бетан и Пелле ничего не замечали. Они сидели молча.

– А теперь ты меня поцелуй, Бетан, – послышался робкий голос Пелле.

Ответа так и не последовало, потому что в этот момент вспыхнул яркий свет фонарика, который разогнал серые сумеречные тени и ударил Пелле в лицо. Пелле вскочил, Бетан вскрикнула. Но тут раздался взрыв хохота и топот ног, стремительно удаляющихся по направлению к прихожей.

Ослеплённые ярким светом, Бетан и Пелле не могли ничего увидеть, зато они услышали смех, дикий, восторженный смех, который доносился из-за занавеси.

– Это мой несносный маленький братишка, – объяснила Бетан. – Ну, сейчас я ему задам!

Малыш надрывался от хохота.

– Конечно, она тебя поцелует! – крикнул он. – Почему бы ей тебя не поцеловать? Бетан всех целует, это уж точно.

Потом раздался грохот, сопровождаемый новым взрывом смеха.

– Спокойствие, только спокойствие! – прошептал Карлсон, когда во время своего стремительного бегства они вдруг споткнулись и упали на пол.

Малыш старался быть как можно более спокойным, хотя смех так и клокотал в нём: Карлсон свалился прямо на него, и Малыш уже не разбирал, где его ноги, а где ноги Карлсона. Бетан могла их вот-вот настичь, поэтому они поползли на четвереньках. В панике ворвались они в комнату Малыша как раз в тот момент, когда Бетан уже норовила их схватить.

– Спокойствие, только спокойствие! – шептал под одеялом Карлсон, и его коротенькие ножки стучали по полу, словно барабанные палочки. – Лучший в мире бегун – это Карлсон, который живёт на крыше! – добавил он, едва переводя дух.

Малыш тоже умел очень быстро бегать, и, право, сейчас это было необходимо. Они спаслись, захлопнув дверь перед самым носом Бетан. Карлсон торопливо повернул ключ и весело засмеялся, в то время как Бетан изо всех сил колотила в дверь.

– Подожди, Малыш, я ещё доберусь до тебя! – сердито крикнула она.

– Во всяком случае, меня никто не видел! – ответил Малыш из-за двери, и до Бетан снова донёсся смех.

Если бы Бетан не так сердилась, она бы услышала, что смеются двое.

# Карлсон
# держит пари

Однажды Малыш вернулся из школы злой, с шишкой на лбу. Мама хлопотала на кухне. Увидев шишку, она, как и следовало ожидать, огорчилась.

– Бедный Малыш, что это у тебя на лбу? – спросила мама и обняла его.

– Кристер швырнул в меня камнем, – хмуро ответил Малыш.

– Камнем? Какой противный мальчишка! – воскликнула мама. – Что же ты сразу мне не сказал?

Малыш пожал плечами:

– Что толку? Ведь ты не умеешь кидаться камнями. Ты даже не сможешь попасть камнем в стену сарая.

– Ах ты глупыш! Неужели ты думаешь, что я стану бросать камни в Кристера?

– А чем же ещё ты хочешь в него бросить? Ничего другого тебе не найти, во всяком случае, ничего более подходящего, чем камень.

Мама вздохнула. Было ясно, что не один Кристер при случае швыряется камнями. Её любимец был ничуть не лучше. Как это получается, что маленький мальчик с такими добрыми голубыми глазами – драчун?

– Скажи, а нельзя ли вообще обойтись без драки? Мирно можно договориться о чём угодно. Знаешь, Малыш, ведь, собственно говоря, на свете нет такой вещи, о которой нельзя было бы договориться, если всё как следует обсудить.

– Нет, мама, такие вещи есть. Вот, например, вчера я как раз тоже дрался с Кристером...

– И совершенно напрасно, – сказала мама. – Вы прекрасно могли бы разрешить ваш спор словами, а не кулаками.

Малыш присел к кухонному столу и обхватил руками свою разбитую голову.

– Да? Ты так думаешь? – спросил он и неодобрительно взглянул на маму. – Кристер мне сказал: «Я могу тебя отлупить». Так он и сказал. А я ему ответил: «Нет, не можешь». Ну скажи, могли ли мы разрешить наш спор, как ты говоришь, словами?

Мама не нашлась что ответить, и ей пришлось оборвать свою умиротворяющую проповедь. Её драчун сын сидел совсем мрачный, и она поспешила поставить перед ним чашку горячего шоколада и свежие плюшки.

Всё это Малыш очень любил. Ещё на лестнице он уловил сладостный запах только что испечённой сдобы. А от маминых восхитительных плюшек с корицей жизнь делалась куда более терпимой.

Преисполненный благодарности, он откусил кусочек. Пока он жевал, мама залепила ему пластырем шишку на лбу. Затем она тихонько поцеловала больное место и спросила:

– А что вы не поделили с Кристером сегодня?

– Кристер и Гунилла говорят, что я всё сочинил про Карлсона, который живёт на крыше. Они говорят, что это выдумка.

– А разве это не так? – осторожно спросила мама.

Малыш оторвал глаза от чашки с шоколадом и гневно посмотрел на маму.

– Даже ты не веришь тому, что я говорю! – сказал он. – Я спросил у Карлсона, не выдумка ли он...

– Ну и что же он тебе ответил? – поинтересовалась мама.

– Он сказал, что, если бы он был выдумкой, это была бы самая лучшая выдумка на свете. Но дело в том, что он не выдумка. – И Малыш взял ещё одну булочку. – Карлсон считает, что, наоборот, Кристер и Гунилла – выдумка. «На редкость глупая выдумка», – говорит он. И я тоже так думаю.

Мама ничего не ответила – она понимала, что бессмысленно разуверять Малыша в его фантазиях.

– Я думаю, – сказала она наконец, – что тебе лучше побольше играть с Гуниллой и Кристером и поменьше думать о Карлсоне.

– Карлсон, по крайней мере, не швыряет в меня камнями, – проворчал Малыш и потрогал шишку на лбу. Вдруг он что-то вспомнил и радостно улыбнулся маме. – Да, я чуть было не забыл, что сегодня впервые увижу домик Карлсона!

Но он тут же раскаялся, что сказал это. Как глупо говорить с мамой о таких вещах!

Однако эти слова Малыша не показались маме более опасными и тревожными, чем всё остальное,

что он обычно рассказывал о Карлсоне, и она беззаботно сказала:

– Ну что ж, это, вероятно, будет очень забавно.

Но вряд ли мама была бы так спокойна,
если бы поняла до конца, что́ именно сказал ей
Малыш. Ведь подумать только, где жил Карлсон!

Малыш встал из-за стола сытый, весёлый и вполне довольный жизнью. Шишка на лбу уже не болела,
во рту был изумительный вкус плюшек с корицей,
через кухонное окно светило солнце, и мама выгля-
дела такой милой в своём клетчатом переднике.

Малыш подошёл к ней, чмокнул её полную руку
и сказал:

– Как я люблю тебя, мамочка!

– Я очень рада, – сказала мама.

– Да... Я люблю тебя, потому что ты такая милая.
Затем Малыш пошёл к себе в комнату и стал
ждать Карлсона. Они должны были сегодня вместе
отправиться на крышу, и, если бы Карлсон был
только выдумкой, как уверяет Кристер, вряд ли
Малыш смог бы туда попасть.

«Я прилечу за тобой приблизительно часа в три,
или в четыре, или в пять, но ни в коем случае
не раньше шести», – сказал ему Карлсон.

Малыш так толком и не понял, когда же, собственно, Карлсон намеревается прилететь, и переспросил его.

«Уж никак не позже семи, но едва ли раньше восьми... Ожидай меня примерно к девяти, после того как пробьют часы».

Малыш ждал чуть ли не целую вечность, и в конце концов ему начало казаться, что Карлсона и в самом деле не существует. И когда Малыш уже был готов поверить, что Карлсон – всего лишь выдумка, послышалось знакомое жужжание, и в комнату влетел Карлсон, весёлый и бодрый.

– Я тебя совсем заждался, – сказал Малыш. – В котором часу ты обещал прийти?

– Я сказал приблизительно, – ответил Карлсон. – Так оно и вышло: я пришёл приблизительно.

Он направился к аквариуму Малыша, в котором кружились пёстрые рыбки, окунул лицо в воду и стал пить большими глотками.

– Осторожно! Мои рыбки! – крикнул Малыш; он испугался, что Карлсон нечаянно проглотит несколько рыбок.

– Когда у человека жар, ему надо много пить, – сказал Карлсон. – И если он даже проглотит две-три или там четыре рыбки, это пустяки, дело житейское.

– У тебя жар? – спросил Малыш.

– Ещё бы! Потрогай. – И он положил руку Малыша на свой лоб.

Но Малышу его лоб не показался горячим.

– Какая у тебя температура? – спросил он.

– Тридцать-сорок градусов, не меньше!

Малыш недавно болел корью и хорошо знал, что значит высокая температура. Он с сомнением покачал головой:

– Нет, по-моему, ты не болен.

– Ух, какой ты гадкий! – закричал Карлсон и топнул ногой. – Что, я уж и захворать не могу, как все люди?

– Ты хочешь заболеть?! – изумился Малыш.

– Конечно. Все люди этого хотят! Я хочу лежать в постели с высокой-превысокой температурой. Ты придёшь узнать, как я себя чувствую, и я тебе скажу, что я самый тяжёлый больной в мире. И ты меня спросишь, не хочу ли я чего-нибудь, и я тебе отвечу, что мне ничего не нужно. Ничего, кроме огромного торта, нескольких коробок печенья, горы шоколада и большого-пребольшого куля конфет!

Карлсон с надеждой посмотрел на Малыша, но тот стоял совершенно растерянный, не зная, где он сможет достать всё, чего хочет Карлсон.

– Ты должен стать мне родной матерью, – продолжал Карлсон. – Ты будешь меня уговаривать выпить горькое лекарство и обещаешь мне за это пять эре. Ты обернёшь мне горло тёплым шарфом. Я скажу, что он кусается, и только за пять эре соглашусь лежать с замотанной шеей.

Малышу очень захотелось стать Карлсону родной матерью, а это значило, что ему придётся опустошить свою копилку. Она стояла на книжной полке, прекрасная и тяжёлая. Малыш сбегал на кухню за ножом и с его помощью начал доставать из копилки пятиэровые монетки. Карлсон помогал ему с необычайным усердием и ликовал по поводу каждой монеты, которая выкатывалась на стол. Попадались монеты в десять и двадцать пять эре, но Карлсона больше всего радовали пятиэровые монетки.

Малыш помчался в соседнюю лавочку и купил на все деньги леденцов, засахаренных орешков и шоколаду. Когда он отдал продавцу весь свой капитал, то вдруг вспомнил, что копил эти деньги на собаку, и тяжело вздохнул. Но он тут же подумал, что тот, кто решил стать Карлсону родной матерью, не может позволить себе роскошь иметь собаку.

Вернувшись домой с карманами, набитыми сластями, Малыш увидел, что в столовой вся семья – и мама, и папа, и Бетан, и Боссе – пьёт послеобеденный кофе. Но у Малыша не было времени посидеть с ними. На мгновение ему в голову пришла мысль пригласить их всех к себе в комнату, чтобы познакомить наконец с Карлсоном. Однако, хорошенько подумав, он решил, что сегодня этого делать не стоит, – ведь они могут помешать ему отправиться с Карлсоном на крышу. Лучше отложить знакомство до другого раза.

Малыш взял из вазочки несколько миндальных печений в форме ракушек – ведь Карлсон сказал, что печенья ему тоже хочется, – и отправился к себе.

– Ты заставляешь меня так долго ждать! Меня, такого больного и несчастного, – с упрёком сказал Карлсон.

– Я торопился как только мог, – оправдывался Малыш, – и столько всего накупил...

– И у тебя не осталось ни одной монетки? Я ведь должен получить пять эре за то, что меня будет кусать шарф! – испуганно перебил его Карлсон.

Малыш успокоил его, сказав, что приберёг несколько монет.

Глаза Карлсона засияли, и он запрыгал на месте от удовольствия.

– О, я самый тяжёлый в мире больной! – закричал он. – Нам надо поскорее уложить меня в постель.

И тут Малыш впервые подумал: как же он попадёт на крышу, раз он не умеет летать?

– Спокойствие, только спокойствие! – бодро ответил Карлсон. – Я посажу тебя на спину, и – раз, два, три! – мы полетим ко мне. Но будь осторожен, следи, чтобы пальцы не попали в пропеллер.

– Ты думаешь, у тебя хватит сил долететь со мной до крыши?

– Там видно будет, – сказал Карлсон. – Трудно, конечно, предположить, что я, такой больной и несчастный, смогу пролететь с тобой и половину пути. Но выход из положения всегда найдётся: если почувствую, что выбиваюсь из сил, я тебя сброшу...

Малыш не считал, что сбросить его вниз – наилучший выход из положения, и вид у него стал озабоченный.

– Но, пожалуй, всё обойдётся благополучно. Лишь бы мотор не отказал.

– А вдруг откажет? Ведь тогда мы упадём! – сказал Малыш.

– Безусловно упадём, – подтвердил Карлсон. – Но это пустяки, дело житейское! – добавил он и махнул рукой.

Малыш подумал и тоже решил, что это пустяки, дело житейское.

Он написал на клочке бумаги записку маме и папе и оставил её на столе:

Я на вирху у КАРЛСОНа, КОТОРЫй ЖИВёТ НА КРЫШЕ

Конечно, лучше всего было бы успеть вернуться домой, прежде чем они найдут эту записку. Но если его случайно хватятся раньше, то пусть знают, где он находится. А то может получиться так, как уже было однажды, когда Малыш гостил за городом у бабушки и вдруг решил сесть в поезд и вернуться домой.

Тогда мама плакала и говорила ему:

«Уж если тебе, Малыш, так захотелось поехать на поезде, почему ты мне не сказал об этом?»

«Потому, что я хотел ехать один», – ответил Малыш.

Вот и теперь то же самое. Он хочет отправиться с Карлсоном на крышу, поэтому лучше всего не просить разрешения. А если обнаружится, что его нет дома, он сможет оправдаться тем, что написал записку.

Карлсон был готов к полёту. Он нажал кнопку на животе, и мотор загудел.

– Залезай скорее мне на плечи, – крикнул Карлсон, – мы сейчас взлетим!

И правда, они вылетели из окна и набрали высоту. Сперва Карлсон сделал небольшой круг над ближайшей крышей, чтобы испытать мотор. Мотор тарахтел так ровно и надёжно, что Малыш ни капельки не боялся.

Наконец Карлсон приземлился на своей крыше.

– А теперь поглядим, сможешь ли ты найти мой дом. Я тебе не скажу, за какой трубой он находится. Отыщи его сам.

Малышу никогда не случалось бывать на крыше, но он не раз видел, как какой-то мужчина, привязав себя верёвкой к трубе, счищал с крыши снег. Малыш всегда завидовал ему, а теперь он сам был таким счастливцем, хотя, конечно, не был обвязан верёвкой и внутри у него что-то сжималось, когда он переходил от одной трубы к другой. И вдруг за одной из них он действительно увидел домик. Очень симпатичный домик с зелёными ставенками и маленьким крылечком. Малышу захотелось как можно скорее войти в этот домик и своими глазами увидеть все паровые машины и все картины с изображением петухов, да и вообще всё, что там находилось.

К домику была прибита табличка, чтобы все знали, кто в нём живёт. Малыш прочёл:

КАРЛСОН, КОТОРЫЙ ЖИВЁТ НА КРЫШЕ, ЛУЧШИЙ В МИРЕ КАРЛСОН

Карлсон распахнул настежь дверь и с криком: «Добро пожаловать, дорогой Карлсон, и ты, Малыш, тоже!» – первым вбежал в дом.

– Мне нужно немедленно лечь в постель, потому что я самый тяжёлый больной в мире! – воскликнул он и бросился на красный деревянный диванчик, который стоял у стены.

Малыш вбежал вслед за ним; он готов был лопнуть от любопытства.

В домике Карлсона было очень уютно – это Малыш сразу заметил. Кроме деревянного диванчика, в комнате стоял верстак, служивший также и столом, шкаф, два стула и камин с железной решёткой и таганком. На нём Карлсон готовил пищу. Но паровых машин видно не было. Малыш долго оглядывал комнату, но не мог их нигде обнаружить и, наконец, не выдержав, спросил:

– А где же твои паровые машины?

– Гм... – промычал Карлсон, – мои паровые машины... Они все вдруг взорвались. Виноваты предохранительные клапаны. Только клапаны, ничто другое. Но это пустяки, дело житейское, и огорчаться нечего.

Малыш вновь огляделся по сторонам.

– Ну а где твои картины с петухами? Они что, тоже взорвались? – язвительно спросил он Карлсона.

– Нет, они не взорвались, – ответил Карлсон. – Вот, гляди. – И он указал на пришпиленный к стене возле шкафа лист картона.

На большом, совершенно чистом листе в нижнем углу был нарисован крохотный красный петушок.

– Картина называется: «Очень одинокий петух», – объяснил Карлсон.

Малыш посмотрел на этого крошечного петушка. А ведь Карлсон говорил о тысячах картин, на которых изображены всевозможные петухи, и всё это, оказывается, свелось к одной красненькой петухообразной козявке!

– Этот «Очень одинокий петух» создан лучшим в мире рисовальщиком петухов, – продолжал Карлсон, и голос его дрогнул. – Ах, до чего эта картина прекрасна и печальна!.. Но нет, я не стану сейчас плакать, потому что от слёз поднимается температура... – Карлсон откинулся на подушку и схватился за голову. – Ты собирался стать мне родной матерью, ну так действуй, – простонал он.

Малыш толком не знал, с чего ему следует начать, и неуверенно спросил:

– У тебя есть какое-нибудь лекарство?

– Да, но я не хочу его принимать... А пятиэровая монетка у тебя есть?

Малыш вынул монетку из кармана штанов.

– Дай сюда.

Малыш протянул ему монетку. Карлсон быстро схватил её и зажал в кулаке; вид у него был хитрый и довольный.

— Сказать тебе, какое лекарство я бы сейчас принял?

— Какое? — поинтересовался Малыш.

— «Приторный порошок» по рецепту Карлсона, который живёт на крыше. Ты возьмёшь немного шоколаду, немного конфет, добавишь такую же порцию печенья, всё это истолчёшь и хорошенько перемешаешь. Как только ты приготовишь лекарство, я приму его. Это очень помогает от жара.

— Сомневаюсь, — заметил Малыш.

— Давай поспорим. Спорю на шоколадку, что я прав.

Малыш подумал, что, может быть, именно это мама и имела в виду, когда советовала ему разрешать споры словами, а не кулаками.

— Ну, давай держать пари! — настаивал Карлсон.

— Давай, — согласился Малыш.

Он взял одну из шоколадок и положил её на верстак, чтобы было ясно, на что они спорят, а затем принялся готовить лекарство по рецепту Карлсона. Он бросил в чашку несколько леденцов, несколько засахаренных орешков, добавил кусочек шоколаду, растолок всё это и перемешал. Потом раскрошил миндальные ракушки и тоже высыпал их в чашку. Такого лекарства Малыш ещё в жизни не видел, но оно выглядело так аппетитно, что он и сам согласился бы слегка поболеть, чтобы принять это лекарство.

Карлсон уже привстал на своём диване и, как птенец, широко разинул рот. Малышу показалось совестным взять у него хоть ложку «приторного порошка».

— Всыпь в меня большую дозу, — попросил Карлсон.

Малыш так и сделал. Потом они сели и молча принялись ждать, когда у Карлсона упадёт температура.

Спустя полминуты Карлсон сказал:

— Ты был прав, это лекарство не помогает от жара. Дай-ка мне теперь шоколадку.

— Тебе? — удивился Малыш. — Ведь я выиграл пари!

— Ну да, пари выиграл ты, значит, мне надо получить в утешение шоколадку. Нет справедливости на этом свете! А ты всего-навсего гадкий мальчишка, ты хочешь съесть шоколад только потому, что у меня не упала температура.

Малыш с неохотой протянул шоколадку Карлсону, который мигом откусил половину и, не переставая жевать, сказал:

— Нечего сидеть с кислой миной. В другой раз, когда я выиграю спор, шоколадку получишь ты.

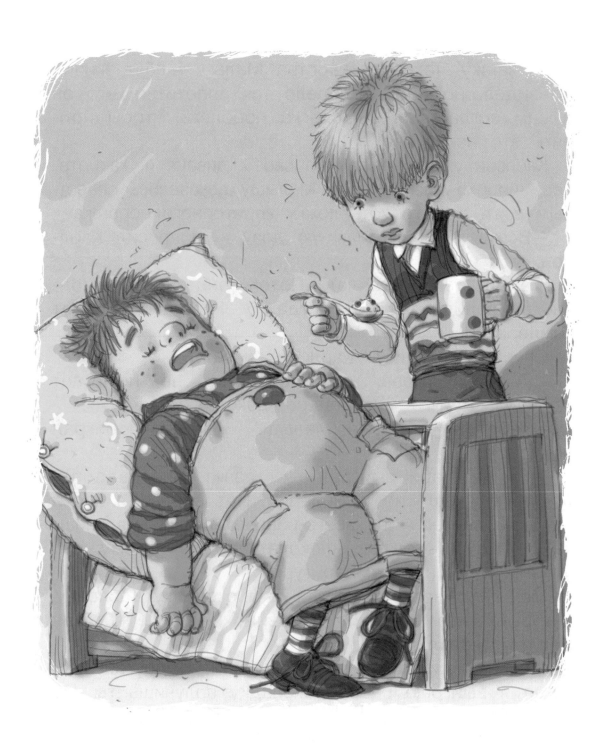

Карлсон продолжал энергично работать челюстями и, проглотив последний кусок, откинулся на подушку и тяжело вздохнул:

— Как несчастны все больные! Как я несчастен! Ну что ж, придётся попробовать принять двойную дозу «приторного порошка», хоть я и ни капельки не верю, что он меня вылечит.

— Почему? Я уверен, что двойная доза тебе поможет. Давай поспорим! — предложил Малыш.

Честное слово, теперь и Малышу было не грех немножко схитрить. Он, конечно, совершенно не верил, что у Карлсона упадёт температура даже и от тройной порции «приторного порошка», но ведь ему так хотелось на этот раз проспорить! Осталась ещё одна шоколадка, и он её получит, если Карлсон выиграет спор.

— Что ж, давай поспорим! Приготовь-ка мне поскорее двойную дозу «приторного порошка». Когда нужно сбить температуру, ничем не следует пренебрегать. Нам ничего не остаётся, как испробовать все средства и терпеливо ждать результата.

Малыш смешал двойную дозу порошка и всыпал его в широко раскрытый рот Карлсона.

Затем они снова уселись, замолчали и стали ждать.

Полминуты спустя Карлсон с сияющим видом соскочил с дивана.

– Свершилось чудо! – крикнул он. – У меня упала температура! Ты опять выиграл. Давай сюда шоколад.

Малыш вздохнул и отдал Карлсону последнюю плиточку. Карлсон недовольно взглянул на него:

– Упрямцы вроде тебя вообще не должны держать пари. Спорить могут только такие, как я. Проиграл ли, выиграл ли Карлсон, он всегда сияет как начищенный пятак.

Воцарилось молчание, во время которого Карлсон дожёвывал свой шоколад. Потом он сказал:

– Но раз ты такой лакомка, такой обжора, лучше всего будет по-братски поделить остатки. У тебя ещё есть конфеты?

Малыш пошарил в карманах.

– Вот, три штуки. – И он вытащил два засахаренных орешка и один леденец.

– Три пополам не делится, – сказал Карлсон, – это знают даже малые дети. – И, быстро схватив с ладони Малыша леденец, проглотил его. – Вот теперь можно делить, – продолжал Карлсон и с жадностью поглядел на оставшиеся два орешка: один из них был чуточку больше другого. – Так как я очень милый и очень скромный, то разрешаю тебе взять первому. Но помни: кто берёт первым, всегда должен брать то, что поменьше, – закончил Карлсон и строго взглянул на Малыша.

Малыш на секунду задумался, но тут же нашёлся:

– Уступаю тебе право взять первым.

– Хорошо, раз ты такой упрямый! – вскрикнул Карлсон и, схватив больший орешек, мигом засунул его себе в рот.

Малыш посмотрел на маленький орешек, одиноко лежавший на его ладони.

– Послушай, – сказал он, – ведь ты же сам говорил, что тот, кто берёт первым, должен взять то, что поменьше.

– Эй, ты, маленький лакомка, если бы ты выбирал первым, какой бы орешек ты взял себе?

– Можешь не сомневаться, я взял бы меньший, – твёрдо ответил Малыш.

– Так что ж ты волнуешься? Ведь он тебе и достался!

Малыш вновь подумал о том, что, видимо, это и есть то самое разрешение спора словами, а не кулаками, о котором говорила мама.

Но Малыш не умел долго дуться. К тому же он был очень рад, что у Карлсона упала температура. Карлсон тоже об этом вспомнил.

– Я напишу всем врачам на свете, – сказал он, – и сообщу им, какое лекарство помогает от жара. «Принимайте «приторный порошок», приготовленный по рецепту Карлсона, который живёт на крыше». Так я и напишу: «Лучшее в мире средство против жара».

Малыш ещё не съел свой засахаренный орешек. Он лежал у него на ладони, такой заманчивый, аппетитный и восхитительный, что Малышу захотелось сперва им немного полюбоваться. Ведь стоит только положить в рот конфетку, как её уже нет.

Карлсон тоже смотрел на засахаренный орешек Малыша. Он долго не сводил глаз с этого орешка, потом наклонил голову и сказал:

— Давай поспорим, что я смогу взять этот орешек так, что ты и не заметишь.

— Нет, ты не сможешь, если я буду держать его на ладони и всё время смотреть на него.

— Ну, давай поспорим, — повторил Карлсон.

— Нет, — сказал Малыш. — Я знаю, что выиграю, и тогда ты опять получишь конфету.

Малыш был уверен, что такой способ спора неправильный. Ведь когда он спорил с Боссе или Бетан, награду получал тот, кто выигрывал.

— Я готов спорить, но только по старому, правильному способу, чтобы конфету получил тот, кто выиграет.

— Как хочешь, обжора. Значит, мы спорим, что я смогу взять этот орешек с твоей ладошки так, что ты и не заметишь.

— Идёт! — согласился Малыш.

– Фокус-покус-филипокус! – крикнул Карлсон и схватил засахаренный орешек. – Фокус-покус-филипокус, – повторил он и сунул орешек себе в рот.

– Стоп! – закричал Малыш. – Я видел, как ты его взял.

– Что ты говоришь! – сказал Карлсон и поспешно проглотил орешек. – Ну, значит, ты опять выиграл. Никогда не видел мальчишки, которому бы так везло в споре.

– Да... но конфета... – растерянно пробормотал Малыш. – Ведь её должен был получить тот, кто выиграл.

– Верно, – согласился Карлсон. – Но её уже нет, и я готов спорить, что мне уже не удастся её вернуть назад.

Малыш промолчал, но подумал, что слова – никуда не годное средство для выяснения, кто прав, а кто виноват; и он решил сказать об этом маме, как только её увидит. Он сунул руку в свой пустой карман. Подумать только! – там лежал ещё один засахаренный орех, которого он раньше не заметил. Большой, липкий, прекрасный орех.

– Спорим, что у меня есть засахаренный орех! Спорим, что я его сейчас съем! – сказал Малыш и быстро засунул орех себе в рот.

Карлсон сел. Вид у него был печальный.

– Ты обещал, что будешь мне родной матерью, а занимаешься тем, что набиваешь себе рот сластями. Никогда ещё не видел такого прожорливого мальчишки!

Минуту он просидел молча и стал ещё печальнее.

– Во-первых, я не получил пятиэровой монеты за то, что кусается шарф.

– Ну да. Но ведь тебе не завязывали горло, – сказал Малыш.

– Я же не виноват, что у меня нет шарфа! Но если бы нашёлся шарф, мне бы наверняка завязали им горло, он бы кусался, и я получил бы пять эре... – Карлсон умоляюще посмотрел на Малыша, и его глаза наполнились слезами. – Я должен страдать оттого, что у меня нет шарфа? Ты считаешь, это справедливо?

Нет, Малыш не считал, что это справедливо, и он отдал свою последнюю пятиэровую монетку Карлсону, который живёт на крыше.

# Проделки Карлсона

— Ну а теперь я хочу немного поразвлечься, – сказал Карлсон минуту спустя. – Давай побегаем по крышам и там уж сообразим, чем заняться.

Малыш с радостью согласился. Он взял Карлсона за руку, и они вместе вышли на крышу. Начинало смеркаться, и всё вокруг выглядело очень красиво: небо было таким синим, каким бывает только весной; дома́, как всегда в сумерках, казались каки-ми-то таинственными. Внизу зеленел парк, в котором

часто играл Малыш, а от высоких тополей, растущих во дворе, поднимался чудесный, острый запах листвы.

Этот вечер был прямо создан для прогулок по крышам. Из раскрытых окон доносились самые разные звуки и шумы: тихий разговор каких-то людей; детский смех и детский плач; звяканье посуды, которую кто-то мыл на кухне; лай собаки; бренчание на пианино. Где-то загрохотал мотоцикл, а когда он промчался и шум затих, донёсся цокот копыт и тарахтение телеги.

– Если бы люди знали, как приятно ходить по крышам, они давно бы перестали ходить по улицам, – сказал Малыш. – Как здесь хорошо!

– Да, и очень опасно, – подхватил Карлсон, – потому что легко сорваться вниз. Я тебе покажу несколько мест, где сердце прямо ёкает от страха.

Дома́ так тесно прижались друг к другу, что можно было свободно перейти с крыши на крышу. Выступы мансарды, трубы и углы придавали крышам самые причудливые формы.

И правда, гулять здесь было так опасно, что дух захватывало. В одном месте между домами была широкая щель, и Малыш едва не свалился в неё. Но в последнюю минуту, когда нога Малыша уже соскользнула с карниза, Карлсон схватил его за руку.

– Весело? – крикнул он, втаскивая Малыша на крышу. – Вот как раз такие места я и имел в виду. Что ж, пойдём дальше?

Но Малышу не захотелось идти дальше – сердце у него билось слишком сильно. Они шли по таким трудным и опасным местам, что приходилось цепляться руками и ногами, чтобы не сорваться. А Карлсон, желая позабавить Малыша, нарочно выбирал дорогу потруднее.

– Я думаю, что настало время нам немножко повеселиться, – сказал Карлсон. – Я частенько гуляю по вечерам на крышах и люблю подшутить над людьми, живущими вот в этих мансардах.

– Как подшутить? – спросил Малыш.

– Над разными людьми по-разному. И я никогда не повторяю дважды одну и ту же шутку. Угадай, кто лучший в мире шутник?

Вдруг где-то поблизости раздался громкий плач грудного младенца. Малыш ещё раньше слышал, что кто-то плакал, но потом плач прекратился. Видимо, ребёнок на время успокоился, а сейчас снова принялся кричать. Крик доносился из ближайшей мансарды и звучал жалостно и одиноко.

– Бедная малютка! – сказал Малыш. – Может быть, у неё болит живот.

– Это мы сейчас выясним, – отозвался Карлсон.

Они поползли вдоль карниза, пока не добрались до окна мансарды. Карлсон поднял голову и осторожно заглянул в комнату.

– Чрезвычайно заброшенный младенец, – сказал он. – Ясное дело, отец с матерью где-то бегают.

Ребёнок прямо надрывался от плача.

– Спокойствие, только спокойствие! – Карлсон приподнялся над подоконником и громко произнёс: – Идёт Карлсон, который живёт на крыше, – лучшая в мире нянька.

Малышу не захотелось оставаться одному на крыше, и он тоже перелез через окно вслед за Карлсоном, со страхом думая о том, что будет, если вдруг появятся родители малютки.

Зато Карлсон был совершенно спокоен. Он подошёл к кроватке, в которой лежал ребёнок, и пощекотал его под подбородком своим толстеньким указательным пальцем.

– Плюти-плюти-плют! – сказал он шаловливо, затем, обернувшись к Малышу, объяснил: – Так всегда говорят грудным детям, когда они плачут.

Младенец от изумления на мгновение затих, но тут же разревелся с новой силой.

– Плюти-плюти-плют! – повторил Карлсон и добавил: – А ещё с детьми вот как делают...

Он взял ребёнка на руки и несколько раз энергично его встряхнул.

Должно быть, малютке это показалось забавным, потому что она вдруг слабо улыбнулась беззубой улыбкой.

Карлсон был очень горд.

– Как легко развеселить крошку! – сказал он. – Лучшая в мире нянька – это…

Но закончить ему не удалось, так как ребёнок опять заплакал.

– Плюти-плюти-плют! – раздражённо прорычал Карлсон и стал ещё сильнее трясти девочку. – Слышишь, что я тебе говорю? Плюти-плюти-плют! Понятно?

Но девочка орала во всю глотку, и Малыш протянул к ней руки.

– Дай-ка я её возьму, – сказал он.

Малыш очень любил маленьких детей и много раз просил маму и папу подарить ему маленькую сестрёнку, раз уж они наотрез отказываются купить собаку.

Он взял из рук Карлсона кричащий свёрток и нежно прижал его к себе.

– Не плачь, маленькая! – сказал Малыш. – Ты ведь такая милая…

Девочка затихла, посмотрела на Малыша серьёзными блестящими глазами, затем снова улыбнулась своей беззубой улыбкой и что-то тихонько залепетала.

— Это мой плюти-плюти-плют подействовал, — произнёс Карлсон. — Плюти-плюти-плют всегда действует безотказно. Я тысячи раз проверял.

— Интересно, а как её зовут? — сказал Малыш и легонько провёл указательным пальцем по маленькой нежной щёчке ребёнка.

— Гюль-фия, — ответил Карлсон. — Маленьких девочек чаще всего зовут именно так.

Малыш никогда не слыхал, чтобы какую-нибудь девочку звали Гюль-фия, но он подумал, что уж кто-кто, а лучшая в мире нянька знает, как обычно называют таких малюток.

— Малышка Гюль-фия, мне кажется, что ты хочешь есть, — сказал Малыш, глядя, как ребёнок норовит схватить губами его указательный палец.

— Если Гюль-фия голодна, то вот здесь есть колбаса и картошка, — сказал Карлсон, заглянув в буфет. — Ни один младенец в мире не умрёт с голоду, пока у Карлсона не переведутся колбаса и картошка.

Но Малыш сомневался, что Гюль-фия станет есть колбасу и картошку.

— Таких маленьких детей кормят, по-моему, молоком, — возразил он.

— Значит, ты думаешь, лучшая в мире нянька не знает, что́ детям дают и чего не дают? — возмутился Карлсон. — Но если ты так настаиваешь, я могу слетать за коровой... — Тут Карлсон недовольно

взглянул на окно и добавил: – Хотя трудно будет протащить корову через такое маленькое окошко.

Гюль-фия тщетно ловила палец Малыша и жалобно хныкала. Действительно, похоже было на то, что она голодна.

Малыш пошарил в буфете, но молока не нашёл: там стояла лишь тарелка с тремя кусочками колбасы.

– Спокойствие, только спокойствие! – сказал Карлсон. – Я вспомнил, где можно достать молока... Мне придётся кое-куда слетать... Привет, я скоро вернусь!

Он нажал кнопку на животе и, прежде чем Малыш успел опомниться, стремительно вылетел из окна.

Малыш страшно перепугался. Что, если Карлсон, как обычно, пропадёт на несколько часов? Что, если родители ребёнка вернутся домой и увидят свою Гюль-фию на руках у Малыша?

Но Малышу не пришлось сильно волноваться – на этот раз Карлсон не заставил себя долго ждать. Гордый, как петух, он влетел в окно, держа в руках маленькую бутылочку с соской, такую, из которой обычно поят грудных детей.

– Где ты её достал? – удивился Малыш.

– Там, где я всегда беру молоко, – ответил Карлсон, – на одном балконе в Остермальме[1].

---

[1] Остермальм – пригород Стокгольма.

– Как, ты её просто стащил? – воскликнул Малыш.

– Я её... взял взаймы.

– Взаймы? А когда ты собираешься её вернуть?

– Никогда!

Малыш строго посмотрел на Карлсона. Но Карлсон только махнул рукой:

– Пустяки, дело житейское... Всего-навсего одна крошечная бутылочка молока. Там есть семья, где родилась тройня, и у них на балконе в ведре со льдом полным-полно таких бутылочек. Они будут только рады, что я взял немного молока для Гюль-фии.

Гюль-фия протянула свои маленькие ручки к бутылке и нетерпеливо зачмокала.

– Я сейчас погрею молочко, – сказал Малыш и передал Гюль-фию Карлсону, который снова стал вопить: «Плюти-плюти-плют» – и трясти малютку.

А Малыш тем временем включил плитку и стал греть бутылочку.

Несколько минут спустя Гюль-фия уже лежала в своей кроватке и крепко спала. Она была сыта и довольна. Малыш суетился вокруг неё. Карлсон яростно раскачивал кроватку и громко распевал:

– Плюти-плюти-плют... Плюти-плюти-плют...

Но, несмотря на весь этот шум, Гюль-фия заснула, потому что она наелась и устала.

– А теперь, прежде чем уйти отсюда, давай попроказничаем, – предложил Карлсон.

Он подошёл к буфету и вынул тарелку с нарезанной колбасой. Малыш следил за ним, широко раскрыв глаза от удивления. Карлсон взял с тарелки один кусочек.

– Вот сейчас ты увидишь, что значит проказничать. – И Карлсон нацепил кусочек колбасы на дверную ручку. – Номер первый, – сказал он и с довольным видом кивнул головой.

Затем Карлсон подбежал к шкафчику, на котором стоял красивый белый фарфоровый голубь, и, прежде чем Малыш успел вымолвить слово, у голубя в клюве тоже оказалась колбаса.

– Номер второй, – проговорил Карлсон. – А номер третий получит Гюль-фия.

Он схватил с тарелки последний кусок колбасы и сунул его в ручку спящей Гюль-фии. Это и в самом деле выглядело очень смешно. Можно было подумать, что Гюль-фия сама встала, взяла кусочек колбасы и заснула с ним.

Но Малыш всё же сказал:

– Прошу тебя, не делай этого.

– Спокойствие, только спокойствие! – ответил Карлсон. – Мы отучим её родителей убегать из дому по вечерам.

– Почему? – удивился Малыш.

– Ребёнка, который уже ходит и берёт себе колбасу, они не решатся оставить одного. Кто может предвидеть, что она захочет взять в другой раз? Быть может, папин воскресный галстук?

И Карлсон проверил, не выпадет ли колбаса из маленькой ручки Гюль-фии.

– Спокойствие, только спокойствие! – продолжал он. – Я знаю, что делаю. Ведь я – лучшая в мире нянька.

Как раз в этот момент Малыш услышал, что кто-то поднимается по лестнице, и подскочил от испуга.

– Они идут! – прошептал он.

– Спокойствие, только спокойствие! – сказал Карлсон и потащил Малыша к окну.

В замочную скважину уже всунули ключ. Малыш решил, что всё пропало. Но, к счастью, они всё-таки успели вылезти на крышу. В следующую секунду хлопнула дверь, и до Малыша долетели слова:

– А наша милая маленькая Сусанна спит себе да спит! – сказала женщина.

– Да, дочка спит, – отозвался мужчина.

Но вдруг раздался крик. Должно быть, папа и мама Гюль-фии заметили, что девочка сжимает в ручке кусок колбасы.

Малыш не стал ждать, что скажут родители Гюль-фии о проделках лучшей в мире няньки, которая, едва заслышав их голоса, быстро спряталась за трубу.

– Хочешь увидеть жуликов? – спросил Карлсон Малыша, когда они немного отдышались. – Тут у меня в одной мансарде живут два первокласс-ных жулика.

Карлсон говорил так, словно эти жулики были его собственностью. Малыш в этом усомнился, но, так или иначе, ему захотелось на них поглядеть.

Из окна мансарды, на которое указал Карлсон, доносился громкий говор, смех и крики.

– О, да здесь царит веселье! – воскликнул Карлсон. – Пойдём взглянем, чем это они так забавляются.

Карлсон и Малыш опять поползли вдоль карниза. Когда они добрались до мансарды, Карлсон поднял голову и посмотрел в окно. Оно было занавешено. Но Карлсон нашёл дырку, сквозь которую была вид-на вся комната.

– У жуликов гость, – прошептал Карлсон.

Малыш тоже посмотрел в дырку. В комнате сидели два субъекта, по виду вполне похожие на жуликов, и славный скромный малый вроде тех парней, кото-рых Малыш видел в деревне, где жила его бабушка.

– Знаешь, что я думаю? – прошептал Карлсон. – Я думаю, что мои жулики затеяли что-то нехоро-шее. Но мы им помешаем... – Карлсон ещё раз

поглядел в дырку. – Готов поспорить – они хотят обобрать этого беднягу в красном галстуке!

Жулики и парень в галстуке сидели за маленьким столиком у самого окна. Они ели и пили.

Время от времени жулики дружески похлопывали своего гостя по плечу, приговаривая:

– Как хорошо, что мы тебя встретили, дорогой Оскар!

– Я тоже очень рад нашему знакомству, – отвечал Оскар. – Когда впервые приезжаешь в город, очень хочется найти добрых друзей, верных и надёжных. А то налетишь на каких-нибудь мошенников, и они тебя мигом облапошат.

Жулики одобрительно поддакивали:

– Конечно. Недолго стать жертвой мошенников. Тебе, парень, здорово повезло, что ты встретил Филле и меня.

– Ясное дело, не повстречай ты Рулле и меня, тебе бы худо пришлось. А теперь ешь да пей в своё удовольствие, – сказал тот, которого звали Филле, и вновь хлопнул Оскара по плечу.

Но затем Филле сделал нечто такое, что совершенно изумило Малыша: он как бы случайно сунул свою руку в задний карман брюк Оскара, вынул оттуда бумажник и осторожно засунул его в задний карман своих собственных брюк. Оскар ничего не заметил, потому что как раз в этот момент Рулле

стиснул его в своих объятиях. Когда же Рулле наконец разжал объятия, у него в руке оказались часы Оскара. Рулле их также отправил в задний карман своих брюк. И Оскар опять ничего не заметил.

Но вдруг Карлсон, который живёт на крыше, осторожно просунул свою пухлую руку под занавеску и вытащил из кармана Филле бумажник Оскара. И Филле тоже ничего не заметил. Затем Карлсон снова просунул под занавеску свою пухлую руку и вытащил из кармана Рулле часы. И тот тоже ничего не заметил. Но несколько минут спустя, когда Рулле, Филле и Оскар ещё выпили и закусили, Филле сунул руку в свой карман и обнаружил, что бумажник исчез. Тогда он злобно взглянул на Рулле и сказал:

— Послушай-ка, Рулле, давай выйдем в прихожую. Нам надо кое о чём потолковать.

А тут как раз Рулле полез в свой карман и заметил, что исчезли часы. Он, в свою очередь, злобно поглядел на Филле и произнёс:

— Пошли! И у меня есть к тебе разговор.

Филле и Рулле вышли в прихожую, а бедняга Оскар остался совсем один. Ему, должно быть, стало скучно сидеть одному, и он тоже вышел в прихожую, чтобы посмотреть, что там делают его новые друзья.

Тогда Карлсон быстро перемахнул через подоконник и положил бумажник в суповую миску. Так как Филле, Рулле и Оскар уже съели весь суп, то

бумажник не намок. Что же касается часов, то их Карлсон прицепил к лампе. Они висели на самом виду, слегка раскачиваясь, и Филле, Рулле и Оскар увидели их, как только вернулись в комнату.

Но Карлсона они не заметили, потому что он залез под стол, накрытый свисающей до пола скатертью. Под столом сидел и Малыш, который, несмотря на свой страх, ни за что не хотел оставить Карлсона одного в таком опасном положении.

– Гляди-ка, на лампе болтаются мои часы! – удивлённо воскликнул Оскар. – Как они могли туда попасть?

Он подошёл к лампе, снял часы и положил их в карман своей куртки.

– А здесь лежит мой бумажник, честное слово! – ещё больше изумился Оскар, заглянув в суповую миску. – Как странно!

Рулле и Филле уставились на Оскара.

– А у вас в деревне парни, видно, тоже не промах! – воскликнули они хором.

Затем Оскар, Рулле и Филле опять сели за стол.

– Дорогой Оскар, – сказал Филле, – ешь и пей досыта!

И они снова стали есть и пить и похлопывать друг друга по плечу.

Через несколько минут Филле, приподняв скатерть, бросил бумажник Оскара под стол. Видно, Филле

полагал, что на полу бумажник будет в большей сохранности, чем в его кармане. Но вышло иначе: Карлсон, который сидел под столом, поднял бумажник и сунул его в руку Рулле. Тогда Рулле сказал:

— Филле, я был к тебе несправедлив, ты благородный человек.

Через некоторое время Рулле просунул руку под скатерть и положил на пол часы. Карлсон поднял часы и, толкнув Филле ногой, вложил их ему в руку. Тогда и Филле сказал:

— Нет товарища надёжнее тебя, Рулле!

Но тут Оскар завопил:

— Где мой бумажник? Где мои часы?

В тот же миг и бумажник и часы вновь оказались на полу под столом, потому что ни Филле, ни Рулле не хотели быть пойманными с поличным, если Оскар поднимет скандал. А Оскар уже начал выходить из себя, громко требуя, чтобы ему вернули его вещи. Тогда Филле закричал:

— Почём я знаю, куда ты дел свой паршивый бумажник!

А Рулле добавил:

— Мы не видели твоих дрянных часов! Ты сам должен следить за своим добром.

Тут Карлсон поднял с пола сперва бумажник, а потом часы и сунул их прямо в руки Оскару. Оскар схватил свои вещи и воскликнул:

— Спасибо тебе, милый Филле, спасибо, Рулле, но в другой раз не надо со мной так шутить!

Тут Карлсон изо всей силы стукнул Филле по ноге.

— Ты у меня за это поплатишься, Рулле! — завопил Филле.

А Карлсон тем временем ударил Рулле по ноге так, что тот прямо завыл от боли.

— Ты что, рехнулся? Чего ты дерёшься?! — крикнул Рулле.

Рулле и Филле выскочили из-за стола и принялись тузить друг друга так энергично, что все тарелки попадали на пол и разбились, а Оскар, до смерти перепугавшись, сунул в карман бумажник и часы и убрался восвояси.

Больше он сюда никогда не возвращался.

Малыш тоже очень испугался, но он не мог убраться восвояси и поэтому, притаившись, сидел под столом.

Филле был сильнее Рулле, и он вытолкнул Рулле в прихожую, чтобы там окончательно с ним расправиться.

Тогда Карлсон и Малыш быстро вылезли из-под стола. Карлсон, увидев осколки тарелок, разбросанные по полу, сказал:

— Все тарелки разбиты, а суповая миска цела. Как, должно быть, одиноко этой бедной суповой миске!

И он изо всех сил трахнул суповую миску об пол.

Потом они с Малышом кинулись к окну и быстро вылезли на крышу.

Малыш услышал, как Филле и Рулле вернулись в комнату и как Филле спросил:

— А чего ради ты, болван, ни с того ни с сего отдал ему бумажник и часы?

— Ты что, спятил? — ответил Рулле. — Ведь это же ты сделал!

Услышав их ругань, Карлсон расхохотался так, что у него затрясся живот.

— Ну, на сегодня хватит развлечений! — проговорил он сквозь смех.

Малыш тоже был сыт по горло сегодняшними проделками.

Уже совсем стемнело, когда Малыш и Карлсон, взявшись за руки, побрели к маленькому домику, притаившемуся за трубой на крыше того дома, где жил Малыш. Когда они уже почти добрались до места, то услышали, как, сигналя сиреной, по улице мчится пожарная машина.

— Должно быть, где-то пожар, — сказал Малыш. — Слышишь, проехали пожарные.

— А может быть, даже в твоём доме, — с надеждой в голосе проговорил Карлсон. — Ты только сразу же скажи мне. Я им охотно помогу, потому что я лучший в мире пожарный.

С крыши они увидели, как пожарная машина остановилась у подъезда. Вокруг неё собралась толпа, но огня что-то нигде не было заметно.
И всё же от машины до самой крыши быстро вы-
двинулась длинная лестница, точь-в-точь такая, какая
бывает у пожарных.

— Может, это они за мной? — с тревогой спросил Малыш, вдруг вспомнив о записке, которую он
оставил у себя; ведь сейчас уже было так поздно.

— Не понимаю, чего все так переполошились.
Неужели кому-то могло не понравиться, что ты от-
правился немного погулять по крыше? — возмутился
Карлсон.

— Да, — ответил Малыш, — моей маме. Знаешь,
у неё нервы...

Когда Малыш подумал об этом, он пожалел маму,
и ему очень захотелось поскорее вернуться домой.

— А было бы неплохо слегка поразвлечься с по-
жарными... — заметил Карлсон.

Но Малыш не хотел больше развлекаться. Он
тихо стоял и ждал, когда наконец доберётся
до крыши пожарный, который уже лез по лестнице.

— Ну что ж, — сказал Карлсон, — пожалуй, мне
тоже пора ложиться спать. Конечно, мы вели себя
очень тихо, прямо скажу — примерно. Но не надо
забывать, что у меня сегодня утром был сильный
жар, не меньше тридцати-сорока градусов.

И Карлсон поскакал к своему домику.

– Привет, Малыш! – крикнул он.

– Привет, Карлсон! – отозвался Малыш, не отводя взгляда от пожарного, который поднимался по лестнице всё выше и выше.

– Эй, Малыш, – крикнул Карлсон, прежде чем скрыться за трубой, – не рассказывай пожарным, что я здесь живу! Ведь я лучший в мире пожарный и боюсь, они будут посылать за мной, когда где-нибудь загорится дом.

Пожарный был уже близко.

– Стой на месте и не шевелись! – приказал он Малышу. – Слышишь, не двигайся с места! Я сейчас поднимусь и сниму тебя с крыши.

Малыш подумал, что со стороны пожарного предостерегать его было очень мило, но бессмысленно. Ведь весь вечер он разгуливал по крышам и, уж конечно, мог бы и сейчас сделать несколько шагов, чтобы подойти к лестнице.

– Тебя мама послала? – спросил Малыш пожарного, когда тот, взяв его на руки, стал спускаться.

– Ну да, мама. Конечно. Но… мне показалось, что на крыше было два маленьких мальчика.

Малыш вспомнил просьбу Карлсона и серьёзно сказал:

– Нет, здесь не было другого мальчика.

У мамы действительно были «нервы». Она, и папа, и Боссе, и Бетан, и ещё много всяких чужих людей стояли на улице и ждали Малыша. Мама кинулась к нему, обняла его; она и плакала, и смеялась. Потом папа взял Малыша на руки и понёс домой, крепко прижимая к себе.

— Как ты нас напугал! — сказал Боссе.

Бетан тоже заплакала и проговорила сквозь слёзы:

— Никогда больше так не делай. Запомни, Малыш, никогда!

Малыша тут же уложили в кровать, и вся семья собралась вокруг него, как будто сегодня был день его рождения. Но папа сказал очень серьёзно:

— Неужели ты не понимал, что мы будем волноваться? Неужели ты не знал, что мама будет вне себя от тревоги, будет плакать?

Малыш съёжился в своей постели.

— Ну, чего вы беспокоились? — пробормотал он.

Мама очень крепко обняла его.

— Подумай только! — сказала она. — А если бы ты упал с крыши? Если бы мы тебя потеряли?

— Вы бы тогда огорчились?

— А как ты думаешь? — ответила мама. — Ни за какие сокровища в мире мы не согласились бы расстаться с тобой. Ты же и сам это знаешь.

– И даже за сто тысяч миллионов крон? – спросил Малыш.

– И даже за сто тысяч миллионов крон!

– Значит, я так дорого стою? – изумился Малыш.

– Конечно, – сказала мама и обняла его ещё раз.

Малыш стал размышлять: сто тысяч миллионов крон – какая огромная куча денег! Неужели он может стоить так дорого? Ведь щенка, настоящего, прекрасного щенка, можно купить всего за пятьдесят крон...

– Послушай, папа, – сказал вдруг Малыш, – если я действительно стою сто тысяч миллионов, то не могу ли я получить сейчас наличными пятьдесят крон, чтобы купить себе маленького щеночка?

# Карлсон играет в привидения

Только на следующий день, во время обеда, родители спросили Малыша, как он всё-таки попал на крышу.

– Ты что ж, пролез через слуховое окно на чердаке? – спросила мама.

– Нет, я полетел с Карлсоном, который живёт на крыше, – ответил Малыш.

Мама и папа переглянулись.

– Так дальше продолжаться не может! – воскликнула мама. – Этот Карлсон сведёт меня с ума!

— Послушай, — сказал папа, — никакого Карлсона, который бы жил на крыше, не существует.

— «Не существует!» — повторил Малыш. — Вчера он, во всяком случае, существовал.

Мама озабоченно покачала головой:

— Хорошо, что скоро начнутся каникулы и ты уедешь к бабушке. Надеюсь, что там Карлсон не будет тебя преследовать.

Об этой неприятности Малыш ещё не думал. Ведь скоро его на всё лето пошлют в деревню к бабушке. А это значит, что он два месяца не увидит Карлсона. Конечно, летом у бабушки очень хорошо, там всегда бывает весело, но Карлсон... А вдруг Карлсон уже не будет жить на крыше, когда Малыш вернётся в город?

Малыш сидел, опёршись локтями о стол и обхватив ладонями голову. Он не мог себе представить жизни без Карлсона.

— Ты разве не знаешь, что нельзя класть локти на стол? — спросила Бетан.

— Следи лучше за собой! — огрызнулся Малыш.

— Малыш, убери локти со стола, — сказала мама. — Положить тебе цветной капусты?

— Нет, лучше умереть, чем есть капусту!

— Ох! — вздохнул папа. — Надо сказать: «Нет, спасибо».

«Чего это они так раскомандовались мальчиком, который стоит сто тысяч миллионов», – подумал Малыш, но вслух этого не высказал.

– Вы же сами прекрасно понимаете, что, когда я говорю: «Лучше умереть, чем есть капусту», я хочу сказать: «Нет, спасибо», – пояснил он.

– Так воспитанные люди не говорят, – сказал папа. – А ты ведь хочешь стать воспитанным человеком?

– Нет, папа, я хочу стать таким, как ты, – ответил Малыш.

Мама, Боссе и Бетан расхохотались.

Малыш не понял, над чем они смеются, но решил, что смеются над его папой, а этого он уже никак не мог стерпеть.

– Да, я хочу быть таким, как ты, папа. Ты такой хороший! – произнёс Малыш, глядя на отца.

– Спасибо тебе, мой мальчик, – сказал папа. – Так ты действительно не хочешь цветной капусты?

– Нет, лучше умереть, чем есть капусту!

– Но ведь она очень полезна, – вздохнула мама.

– Наверно, – сказал Малыш. – Я давно заметил: чем еда невкусней, тем она полезней. Хотел бы я знать, почему все эти витамины содержатся только в том, что невкусно?

– Витамины, конечно, должны быть в шоколаде и в жевательной резинке, – сострил Боссе.

– Это самое разумное из всего, что ты сказал за последнее время, – огрызнулся Малыш.

После обеда Малыш отправился к себе в комнату. Всем сердцем он желал, чтобы Карлсон прилетел поскорее. Ведь на днях Малыш уедет за город, поэтому теперь они должны встречаться как можно чаще.

Должно быть, Карлсон почувствовал, что Малыш его ждёт: едва Малыш высунул нос в окошко, как Карлсон уже был тут как тут.

– Сегодня у тебя нет жара? – спросил Малыш.

– У меня? Жара?.. У меня никогда не бывает жара! Это было внушение.

– Ты внушил себе, что у тебя жар? – удивился Малыш.

– Нет, это я тебе внушил, что у меня жар, – радостно ответил Карлсон и засмеялся. – Угадай, кто лучший в мире выдумщик?

Карлсон ни минуты не стоял на месте. Разговаривая, он всё время кружил по комнате, трогал всё, что попадалось под руку, с любопытством открывал и закрывал ящики и разглядывал каждую вещь с большим интересом.

– Нет, сегодня у меня нет никакого жара. Сегодня я здоров как бык и расположен слегка поразвлечься.

Малыш тоже был не прочь поразвлечься. Но он хотел, чтобы прежде папа, мама, Боссе и Бетан увидели наконец Карлсона и перестали бы уверять Малыша, что Карлсон не существует.

— Подожди меня минуточку, — поспешно сказал Малыш, — я сейчас вернусь.

И он стремглав побежал в столовую.

Боссе и Бетан дома не оказалось — это, конечно, было очень досадно, — но зато мама и папа сидели у камина. Малыш сказал им, сильно волнуясь:

— Мама и папа, идите скорей в мою комнату!

Он решил пока ничего не говорить им о Карлсоне — будет лучше, если они увидят его без предупреждения.

— А может, ты посидишь с нами? — предложила мама.

Но Малыш потянул её за руку:

— Нет, вы должны пойти ко мне. Там вы увидите одну вещь...

Недолгие переговоры завершились успешно. Папа и мама пошли вместе с ним. Счастливый Малыш с радостью распахнул дверь своей комнаты — наконец-то они увидят Карлсона!

И тут Малыш едва не заплакал, так он был обескуражен. Комната оказалась пустой, как и в тот раз, когда он привёл всю семью знакомиться с Карлсоном.

— Ну, что же мы должны здесь увидеть? — спросил папа.

– Ничего особенного... – пробормотал Малыш.

К счастью, в эту минуту раздался телефонный звонок. Папа пошёл говорить по телефону, а мама вспомнила, что в духовке у неё сидит сладкий пирог, и поспешила на кухню. Так что на этот раз Малышу не пришлось объясняться.

Оставшись один, Малыш присел у окна. Он очень сердился на Карлсона и решил высказать ему всё начистоту, если тот снова прилетит.

Но никто не прилетел. Вместо этого открылась дверца шкафа, и оттуда высунулась лукавая физиономия Карлсона.

Малыш просто остолбенел от изумления:

– Что ты делал в моём шкафу?

– Сказать тебе, что я там высиживал цыплят? Но это было бы неправдой. Сказать, что я думал о своих грехах? Это тоже было бы неправдой. Может быть, сказать, что я лежал на полке и отдыхал? Вот это будет правда! – ответил Карлсон.

Малыш тотчас же забыл, что сердился на Карлсона. Он был так рад, что Карлсон нашёлся.

– Этот прекрасный шкаф прямо создан для игры в прятки. Давай поиграем? Я опять лягу на полку, а ты будешь меня искать, – сказал Карлсон.

И, не дожидаясь ответа Малыша, Карлсон скрылся в шкафу. Малыш услышал, как он там карабкается, забираясь, видимо, на верхнюю полку.

– Ну, а теперь ищи! – крикнул Карлсон.

Малыш распахнул дверцы шкафа и, конечно, сразу же увидел лежащего на полке Карлсона.

– Фу, какой ты противный! – закричал Карлсон. – Ты что, не мог сначала хоть немножко поискать меня под кроватью, за письменным столом или ещё где-нибудь? Ну, раз ты такой, я с тобой больше не играю. Фу, какой ты противный!

В эту минуту раздался звонок у входной двери, и из передней послышался мамин голос:

– Малыш, к тебе пришли Кристер и Гунилла.

Этого сообщения было достаточно, чтобы у Карлсона улучшилось настроение.

– Подожди, мы сейчас с ними сыграем штуку! – прошептал он Малышу. – Притвори-ка за мной поплотнее дверцу шкафа...

Малыш едва успел закрыть шкаф, как в комнату вошли Гунилла и Кристер. Они жили на той же улице, что и Малыш, и учились с ним в одном классе. Малышу очень нравилась Гунилла, и он часто рассказывал своей маме, какая она «ужасно хорошая». Кристера Малыш тоже любил и давно уже простил ему шишку на лбу. Правда, с Кристером они частенько дрались, но всегда тут же мирились. Впрочем, дрался Малыш не только с Кристером, а почти со всеми ребятами с их улицы. Но вот Гуниллу он никогда не бил.

– Как это получается, что ты ещё ни разу не стукнул Гуниллу? – спросила как-то мама.

– Она такая ужасно хорошая, что её незачем бить, – ответил Малыш.

Но всё же и Гунилла могла иногда вывести Малыша из себя. Вчера, например, когда они втроём возвращались из школы и Малыш рассказывал им о Карлсоне, Гунилла расхохоталась и сказала, что всё это выдумки. Кристер с ней согласился, и Малыш был вынужден его стукнуть. В ответ на это Кристер и швырнул в него камнем.

Но сейчас они как ни в чём не бывало пришли к Малышу в гости, а Кристер привёл даже своего щенка Ёффу. Увидев Ёффу, Малыш так обрадовался, что совсем забыл про Карлсона, который лежал на полке в шкафу. «Ничего нет на свете лучше собаки», – подумал Малыш. Ёффа прыгал и лаял, а Малыш обнимал его и гладил. Кристер стоял рядом и совершенно спокойно наблюдал, как Малыш ласкает Ёффу. Он ведь знал, что Ёффа – это его собака, а не чья-нибудь ещё, так что пусть себе Малыш играет с ней сколько хочет.

Вдруг, в самый разгар возни Малыша с Ёффой, Гунилла, ехидно посмеиваясь, спросила:

– А где же твой друг Карлсон, который живёт на крыше? Мы думали, что застанем его у тебя.

И только теперь Малыш вспомнил, что Карлсон лежит на полке в его шкафу. Но так как он не знал, какую проделку на этот раз затеял Карлсон, то ничего не сказал об этом Кристеру и Гунилле.

– Вот ты, Гунилла, думаешь, что я всё сочинил про Карлсона, который живёт на крыше. Вчера ты говорила, что он – выдумка...

– Конечно, он и есть выдумка, – ответила Гунилла и расхохоталась; на её щеках появились ямочки.

– Ну а если он не выдумка? – хитро спросил Малыш.

– Но ведь он в самом деле выдумка! – вмешался в разговор Кристер.

– А вот и нет! – закричал Малыш.

И не успел он обдумать, стоит ли попытаться разрешить этот спор словами, а не кулаками или лучше сразу стукнуть Кристера, как вдруг из шкафа раздалось громко и отчётливо:

– Ку-ка-ре-ку!

– Что это такое? – воскликнула Гунилла, и её красный, как вишня, ротик широко раскрылся от удивления.

– Ку-ка-ре-ку! – послышалось снова из шкафа, точь-в-точь как кричат настоящие петухи.

– У тебя что, петух живёт в гардеробе? – удивился Кристер.

Ёффа заворчал и покосился на шкаф. Малыш расхохотался. Он так смеялся, что не мог говорить.

— Ку-ка-ре-ку! — раздалось в третий раз.

— Я сейчас открою шкаф и погляжу, что там, — сказала Гунилла и отворила дверцу.

Кристер подскочил к ней и тоже заглянул в шкаф. Вначале они ничего не заметили, кроме висящей одежды, но потом с верхней полки раздалось хихиканье. Кристер и Гунилла посмотрели наверх и увидели на полке маленького толстого человечка. Удобно примостившись, он лежал, подперев рукой голову, и покачивал правой ножкой. Его весёлые голубые глаза сияли.

Кристер и Гунилла молча смотрели на человечка, не в силах вымолвить ни слова, и лишь Ёффа продолжал тихонько рычать.

Когда к Гунилле вернулся дар речи, она проговорила:

— Это кто такой?

— Всего лишь маленькая выдумка, — ответил странный человечек и стал ещё энергичнее болтать ножкой. — Маленькая фантазия, которая лежит себе да отдыхает. Короче говоря, выдумка!

— Это... это... — проговорил Кристер, запинаясь.

— ...маленькая выдумка, которая лежит себе и кричит по-петушиному, — сказал человечек.

– Это Карлсон, который живёт на крыше! – прошептала Гунилла.

– Конечно, а кто же ещё! Уж не думаешь ли ты, что старая фру[1] Гу́ставсон, которой девяносто два года, незаметно пробралась сюда и разлеглась на полке?

Малыш просто зашёлся от смеха – уж очень глупо выглядели растерянные Кристер и Гунилла.

– Они, наверное, онемели, – едва выговорил Малыш.

Одним прыжком Карлсон соскочил с полки. Он подошёл к Гунилле и ущипнул её за щёку:

– А это что за маленькая выдумка?

– Мы... – пробормотал Кристер.

– Ну, а тебя, наверно, зовут Август? – спросил Карлсон у Кристера.

– Меня зовут вовсе не Август, – ответил Кристер.

– Хорошо. Продолжим!.. – сказал Карлсон.

– Их зовут Гунилла и Кристер, – объяснил Малыш.

– Да, просто трудно поверить, до чего иногда не везёт людям. Но теперь уж ничего не попишешь. А кроме того, не могут же всех звать Карлсонами!..

Карлсон огляделся, словно что-то ища, и поспешно объяснил:

---

[1] Ф р у – обращение к замужней женщине в Скандинавских странах.

– А теперь я был бы не прочь немного поразвлечься. Может, пошвыряем стулья из окна? Или затеем ещё какую-нибудь игру в этом роде?

Малыш не считал, что это будет очень весёлая игра. К тому же он твёрдо знал, что мама и папа не одобрят такой забавы.

– Ну, я вижу, вы трусы. Если вы будете такими нерешительными, у нас ничего не выйдет. Раз вам не нравится моё предложение, придумайте что-нибудь другое, а то я с вами не буду водиться. Я должен чем-нибудь позабавиться, – сказал Карлсон и обиженно надул губы.

– Погоди, мы сейчас что-нибудь придумаем! – умоляюще прошептал Малыш.

Но Карлсон, видимо, решил обидеться всерьёз.

– Вот возьму и улечу сейчас отсюда... – проворчал он.

Все трое понимали, какая это будет беда, если Карлсон улетит, и хором принялись уговаривать его остаться.

Карлсон с минуту сидел молча, продолжая дуться.

– Это, конечно, не наверняка, но я, пожалуй, смог бы остаться, если вот она, – и Карлсон показал своим пухлым пальчиком на Гуниллу, – погладит меня по голове и скажет: «Мой милый Карлсон».

Гунилла с радостью погладила его и ласково попросила:

– Миленький Карлсон, останься! Мы обязательно что-нибудь придумаем.

– Ну ладно, – сказал Карлсон, – я, пожалуй, останусь.

У детей вырвался вздох облегчения.

Мама и папа Малыша обычно гуляли по вечерам. Вот и теперь мама крикнула из прихожей:

– Малыш! Кристер и Гунилла могут остаться у тебя до восьми часов, потом ты быстро ляжешь в постель. А когда мы вернёмся, я зайду к тебе пожелать «спокойной ночи».

И дети услышали, как хлопнула входная дверь.

– А почему она не сказала, до какого часа я могу здесь остаться? – спросил Карлсон и выпятил нижнюю губу. – Если все ко мне так несправедливы, то я с вами не буду водиться.

– Ты можешь остаться здесь до скольких хочешь, – ответил Малыш.

Карлсон ещё больше выпятил губу.

– А почему меня не выставят отсюда ровно в восемь, как всех? – сказал Карлсон обиженным тоном. – Нет, так я не играю!

– Хорошо, я попрошу маму, чтобы она отправила тебя домой в восемь часов, – пообещал Малыш. – Ну, а ты придумал, во что мы будем играть?

Дурное настроение Карлсона как рукой сняло.

– Мы будет играть в привидения и пугать людей. Вы даже не представляете себе, что́ я могу сделать с помощью одной небольшой простыни. Если бы все люди, которых я пугал до смерти, давали мне за это по пять эре, я мог бы купить целую гору шоколада. Ведь я лучшее в мире привидение! – сказал Карлсон, и глаза его весело заблестели.

Малыш, Кристер и Гунилла с радостью согласились играть в привидения. Но Малыш сказал:

– Вовсе не обязательно так ужасно пугать людей.

– Спокойствие, только спокойствие! – ответил Карлсон. – Не тебе учить лучшее в мире привидение, как должны вести себя привидения. Я только слегка попугаю всех до смерти, никто этого даже и не заметит. – Он подошёл к кровати Малыша и взял простыню. – Материал подходящий, можно сделать вполне приличную одежду для привидения.

Карлсон достал из ящика письменного стола цветные мелки и нарисовал в одном углу простыни страшную рожу. Потом он взял ножницы и, прежде чем Малыш успел его остановить, быстро прорезал две дырки для глаз.

– Простыня – это пустяки, дело житейское. А привидение должно видеть, что происходит вокруг, иначе оно начнёт блуждать и попадёт в конце концов невесть куда.

Затем Карлсон закутался с головой в простыню, так что видны были только его маленькие пухлые ручки.

Хотя дети и знали, что это всего-навсего Карлсон, закутанный в простыню, они всё же слегка испугались; а что касается Ёффы, то он бешено залаял. Когда же Карлсон включил свой моторчик и принялся летать вокруг люстры – простыня на нём так и развевалась, – стало ещё страшнее. Это было и вправду жуткое зрелище.

– Я небольшое привидение с мотором! – кричал он. – Дикое, но симпатичное!

Дети притихли и боязливо следили за его полётом. А Ёффа просто надрывался от лая.

– Вообще говоря, – продолжал Карлсон, – я люблю, когда во время полёта жужжит мотор, но, поскольку я привидение, следует, вероятно, включить глушитель. Вот так!

Он сделал несколько кругов совершенно бесшумно и стал ещё больше похож на привидение.

Теперь дело было лишь за тем, чтобы найти, кого пугать.

– Может быть, мы отправимся на лестничную площадку? Кто-нибудь войдёт в дом и испугается до смерти!

В это время зазвонил телефон, но Малыш решил не подходить. Пусть себе звонит!

Между тем Карлсон принялся громко вздыхать и стонать на разные лады.

— Грош цена тому привидению, которое не умеет как следует вздыхать и стонать, — пояснил он. — Это первое, чему учат юное привидение в привиденческой школе.

На все эти приготовления ушло немало времени. Когда они уже стояли перед входной дверью и собирались выйти на лестничную площадку, чтобы пугать прохожих, послышалось какое-то слабое царапанье. Малыш было подумал, что это мама и папа возвращаются домой. Но вдруг он увидел, как в щель ящика для писем кто-то просовывает стальную проволоку. И Малыш сразу понял, что к ним лезут воры. Он вспомнил, что на днях папа читал маме статью из газеты. Там говорилось, что в городе появилось очень много квартирных воров. Они сперва звонят по телефону. Убедившись, что дома никого нет, воры взламывают замок и выносят из квартиры всё ценное.

Малыш страшно испугался, когда понял, что происходит. Кристер и Гунилла испугались не меньше. Кристер запер Ёффу в комнате Малыша, чтобы он своим лаем не испортил игру в привидения, и теперь очень пожалел об этом. Один только Карлсон ничуть не испугался.

– Спокойствие, только спокойствие! – прошептал он. – Для такого случая привидение – незаменимая вещь. Давайте тихонько пойдём в столовую – наверно, там твой отец хранит золотые слитки и бриллианты.

Карлсон, Малыш, Гунилла и Кристер на цыпочках пробрались в столовую и, стараясь не шуметь, спрятались за мебелью кто где. Карлсон залез в красивый старинный буфет – там у мамы лежали скатерти и салфетки – и кое-как прикрыл за собой дверцу. Плотно закрыть он её не успел, потому что как раз в этот момент в столовую крадучись вошли воры. Малыш, который лежал под диваном у камина, осторожно высунулся и посмотрел: посреди комнаты стояли двое парней весьма мерзкого вида. И представьте себе, это были Филле и Рулле!

– Теперь надо узнать, где у них лежат деньги, – сказал Филле хриплым шёпотом.

– Ясное дело, здесь, – отозвался Рулле, указывая на старинный секретер со множеством ящиков.

Малыш знал, что в одном из этих ящиков мама держала деньги на хозяйство, а в другом хранила красивые драгоценные кольца и брошки, которые ей подарила бабушка, и папины золотые медали, полученные им в награду за меткую стрельбу. «Как будет ужасно, если всё это унесут воры», – подумал Малыш.

– Поищи-ка здесь, – сказал Филле, – а я пойду на кухню, посмотрю, нет ли там серебряных ложек и вилок.

Филле исчез, а Рулле начал выдвигать ящики секретера, и вдруг он прямо свистнул от восторга.

«Наверно, нашёл деньги», – подумал Малыш.

Рулле выдвинул другой ящик и снова свистнул – он увидел кольца и брошки.

Но больше он уже не свистел, потому что в это мгновение распахнулись дверцы буфета и оттуда, издавая страшные стоны, выпорхнуло привидение. Когда Рулле обернулся и увидел, он хрюкнул от ужаса и уронил на пол деньги, кольца, брошки и всё остальное. Привидение порхало вокруг него, стонало и вздыхало; потом оно вдруг устремилось на кухню. Секунду спустя в столовую ворвался Филле. Он был бледен как полотно.

– Прулле, там ривидение! – завопил он.

Он хотел крикнуть: «Рулле, там привидение!», но от страха у него заплетался язык, и получилось: «Прулле, там ривидение!»

Да и немудрено было испугаться! Следом за ним в комнату влетело привидение и принялось так жутко вздыхать и стонать, что просто дух захватывало.

Рулле и Филле бросились к двери, а привидение вилось вокруг них. Не помня себя от страха, они выскочили в прихожую, а оттуда на лестничную площадку. Привидение преследовало их по пятам, гнало вниз по лестнице и выкрикивало время от времени глухим, страшным голосом:

— Спокойствие, только спокойствие! Сейчас я вас настигну и тут-то вам будет весело!

Но потом привидение устало и вернулось в столовую. Малыш собрал с пола деньги, кольца, брошки и положил всё это обратно в секретер. А Гунилла и Кристер подобрали все вилки и ложки, которые уронил Филле, когда он метался между кухней и столовой.

— Лучшее в мире привидение — это Карлсон, который живёт на крыше, — сказало привидение и сняло с себя простыню.

Дети смеялись, они были счастливы.

А Карлсон добавил:

— Ничто не может сравниться с привидением, когда надо пугать воров. Если бы люди это знали, то непременно привязали бы по маленькому злобному привидению к каждой кассе в городе.

Малыш прыгал от радости, что всё обернулось так хорошо.

— Люди настолько глупы, что верят в привидения. Просто смешно! — воскликнул он. — Папа говорит, что вообще ничего сверхъестественного не существует. – И Малыш, как бы в подтверждение этих слов, кивнул головой. – Дураки эти воры – они подумали, что из буфета вылетело привидение! А на самом деле это был просто Карлсон, который живёт на крыше. Ничего сверхъестественного!

# Карлсон выступает с учёной собакой Альберг

**Н**а следующее утро, едва проснувшись, взъерошенный мальчуган в полосатой голубой пижаме пришлёпал босиком к маме на кухню. Папа уже ушёл на службу, а Боссе и Бетан – в школу. У Малыша уроки начинались позже, и это было очень кстати, потому что он любил оставаться вот так по утрам вдвоём с мамой, пусть даже ненадолго. В такие минуты хорошо разговаривать, вместе петь песни или рассказывать друг другу сказки. Хотя Малыш уже большой

мальчик и ходит в школу, он с удовольствием сидит у мамы на коленях, но только если этого никто не видит.

Когда Малыш вошёл в кухню, мама, примостившись у кухонного стола, читала газету и пила кофе. Малыш молча влез к ней на колени. Мама обняла его и нежно прижала к себе. Так они и сидели, пока Малыш окончательно не проснулся.

Мама и папа вернулись вчера с прогулки позже, чем предполагали. Малыш уже лежал в своей кроватке и спал. Во сне он разметался. Укрывая его, мама заметила дырки, прорезанные в простыне. А сама простыня была такая грязная, словно её кто-то нарочно исчертил углём. И тогда мама подумала: «Неудивительно, что Малыш поспешил лечь спать». А теперь, когда озорник сидел у неё на коленях, она твёрдо решила не отпускать его без объяснений.

— Послушай, Малыш, мне бы хотелось знать, кто прорезал дырки в твоей простыне. Только не вздумай, пожалуйста, говорить, что это сделал Карлсон, который живёт на крыше.

Малыш молчал и напряжённо думал. Как быть? Ведь дырки прорезал именно Карлсон, а мама запретила о нём говорить. Малыш решил также ничего не рассказывать и о ворах, потому что мама всё равно этому не поверит.

– Ну, так что же? – настойчиво повторила мама, так и не дождавшись ответа.

– Не могла бы ты спросить об этом Гуниллу? – хитро сказал Малыш и подумал: «Пусть-ка лучше Гунилла расскажет маме, как было дело. Ей мама скорее поверит, чем мне».

«А! Значит, это Гунилла разрезала простыню», – подумала мама. И ещё она подумала, что её Малыш – хороший мальчик, потому что он не желает наговаривать на других, а хочет, чтобы Гунилла сама всё рассказала.

Мама обняла Малыша за плечи. Она решила сейчас больше ни о чём его не расспрашивать, но при случае поговорить с Гуниллой.

– Ты очень любишь Гуниллу? – спросила мама.

– Да, очень, – ответил Малыш.

Мама вновь принялась читать газету, а Малыш молча сидел у неё на коленях и думал.

Кого же, собственно говоря, он действительно любит? Прежде всего маму... и папу тоже... Ещё он любит Боссе и Бетан... Ну да, чаще всего он их всё-таки любит, особенно Боссе. Но иногда он на них так сердится, что вся любовь пропадает. Любит он и Карлсона, который живёт на крыше, и Гуниллу тоже любит. Да, быть может, он женится на ней, когда вырастет, потому что хочешь не хочешь, а жену иметь надо. Конечно, больше всего он хотел бы жениться на маме, но ведь это невозможно.

Вдруг Малышу пришла в голову мысль, которая его встревожила.

– Послушай, мама, – сказал он, – а когда Боссе вырастет большой и умрёт, мне нужно будет жениться на его жене?

Мама подвинула к себе чашку и с удивлением взглянула на Малыша.

– Почему ты так думаешь? – спросила она, сдерживая смех.

Малыш, испугавшись, что сморозил глупость, решил не продолжать. Но мама настаивала:

– Скажи, почему ты это подумал?

– Ведь когда Боссе вырос, я получил его старый велосипед и его старые лыжи... И коньки, на которых он катался, когда был таким, как я... Я донашиваю его старые пижамы, его ботинки и всё остальное...

– Ну, а от его старой жены я тебя избавлю, это тебе обещаю, – сказала мама серьёзно.

– А нельзя ли мне будет жениться на тебе? – спросил Малыш.

– Пожалуй, это невозможно, – ответила мама. – Ведь я уже замужем за папой.

Да, это было так.

– Какое неудачное совпадение, что и я и папа любим тебя! – недовольно произнёс Малыш.

Тут мама рассмеялась и сказала:

– Раз вы оба меня любите, значит, я хорошая.

– Ну, тогда я женюсь на Гунилле, – вздохнул Малыш. – Ведь надо же мне будет на ком-нибудь жениться!

И Малыш вновь задумался. Он думал о том, что ему, наверно, будет не очень приятно жить вместе с Гуниллой, потому что с ней иногда трудно ладить. Да и вообще ему больше всего хотелось жить вместе с мамой, папой, Боссе и Бетан, а не с какой-то там женой.

– Мне бы гораздо больше хотелось иметь собаку, чем жену, – сказал Малыш. – Мама, ты не можешь мне подарить щенка?

Мама вздохнула. Ну вот, опять Малыш заговорил о своей вожделенной собаке! Это было почти так же невыносимо, как и разговоры о Карлсоне, который живёт на крыше.

– Знаешь что, Малыш, – сказала мама, – тебе пора одеваться, а то ты опоздаешь в школу.

– Ну, ясно, – ответил Малыш. – Стоит мне только заговорить о собаке, как ты заводишь разговор о школе!

...В тот день Малышу было приятно идти в школу, потому что ему многое надо было обсудить с Кристером и Гуниллой.

Домой они шли, как всегда, вместе. И Малыша это особенно радовало, потому что теперь Кристер и Гунилла тоже были знакомы с Карлсоном.

— Он такой весёлый, правда? Как ты думаешь, сегодня он опять прилетит? — спросила Гунилла.

— Не знаю, — ответил Малыш. — Он сказал, что прилетит «приблизительно». А это значит — когда ему вздумается.

— Надеюсь, что он прилетит «приблизительно» сегодня, — сказал Кристер. — Можно, мы с Гуниллой пойдём к тебе?

— Конечно, можно, — сказал Малыш.

Тут появилось ещё одно существо, которое тоже захотело пойти вместе с ними. Когда ребята собрались перейти улицу, к Малышу подбежал маленький чёрный пудель. Он обнюхал коленки Малыша и дружески тявкнул.

— Поглядите, какой славный щенок! — радостно воскликнул Малыш. — Он, наверно, испугался уличного движения и просит меня перевести его на ту сторону.

Малыш был бы счастлив переводить щенка через все перекрёстки города. Должно быть, щенок это почувствовал: он бежал вприпрыжку по мостовой, норовя прижаться к ноге Малыша.

— Какой он симпатичный, — сказала Гунилла. — Иди сюда, маленький пёсик!

— Нет, он хочет идти рядом со мной, — сказал Малыш и взял щенка за ошейник. — Он меня полюбил.

— Меня он тоже полюбил, — сказала Гунилла.

У маленького щенка был такой вид, будто он готов любить всех на свете, только бы его любили. И Малыш полюбил этого щенка. О, как он его полюбил! Он нагнулся к щенку и принялся его ласкать, и гладить, и тихонько присвистывать, и причмокивать. Все эти нежные звуки должны были означать, что чёрный пудель — самый симпатичный, самый распрекрасный пёс на свете. Щенок вилял хвостом, всячески давая понять, что он тоже так думает. Он радостно прыгал и лаял, а когда дети свернули на свою улицу, побежал вслед за ними.

— Может быть, ему негде жить? — сказал Малыш, цепляясь за последнюю надежду: он ни за что не хотел расставаться с щенком. — И, может быть, у него нет хозяина?

— Ну да, наверно, нет, — согласился с Малышом Кристер.

— Да замолчи ты! — раздражённо оборвал его Малыш. — Ты-то откуда знаешь?

Разве мог понять Кристер, у которого был Ёффа, что значит не иметь собаки — совсем никакой собаки!

– Иди сюда, милый пёсик! – позвал Малыш, всё больше убеждая себя в том, что щенку негде жить.

– Смотри, как бы он не увязался за тобой, – предупредил Кристер.

– Пусть идёт. Я и хочу, чтобы он шёл за мной, – ответил Малыш.

И щенок пошёл за ним. Так он оказался у дверей дома, где жил Малыш. Тут Малыш взял его на руки и понёс по лестнице.

«Сейчас я спрошу у мамы, можно ли мне оставить его у себя».

Но мамы не было дома. В записке, которую Малыш нашёл на кухонном столе, было сказано, что она в прачечной и что он может туда зайти, если ему что-нибудь понадобится.

Тем временем щенок, как ракета, ворвался в комнату Малыша. Ребята помчались за ним.

– Видите, он хочет жить у меня! – закричал Малыш, обезумев от радости.

В эту самую минуту в окно влетел Карлсон, который живёт на крыше.

– Привет! – крикнул он. – Вы что, постирали эту собаку? Ведь у неё вся шерсть села!

– Это же не Ёффа, разве ты не видишь? – сказал Малыш. – Это моя собака!

– Нет, не твоя, – возразил Кристер.

– У тебя нет собаки, – подтвердила Гунилла.

– А вот у меня там, наверху, тысячи собак, – сказал Карлсон. – Лучший в мире собаковод – это...

– Что-то я не видал у тебя никаких собак, – перебил Малыш Карлсона.

– Их просто не было дома – они все разлетелись. Ведь у меня летающие собаки.

Малыш не слушал Карлсона. Тысячи летающих собак ничего не значили для него по сравнению с этим маленьким милым щенком.

– Нет, не думаю, чтобы у него был хозяин, – вновь сказал Малыш.

Гунилла склонилась над собакой.

– Во всяком случае, на ошейнике у него написано «Альберг», – сказала она.

– Ясно, это фамилия его хозяина, – подхватил Кристер.

– Может быть, этот Альберг уже умер! – возразил Малыш и подумал, что, даже если Альберг существует, он, конечно, не любит щенка. И вдруг Малышу пришла в голову прекрасная мысль. – А может быть, самого щенка зовут Альберг? – спросил он, умоляюще взглянув на Кристера и Гуниллу.

Но те лишь обидно рассмеялись в ответ.

– У меня есть несколько собак по кличке Альберг, – сказал Карлсон. – Привет, Альберг!

Щенок подскочил к Карлсону и весело залаял.

– Вот видите, – крикнул Малыш, – он знает своё имя!.. Альберг, Альберг, сюда!

Гунилла схватила щенка.

– Тут на ошейнике выгравирован номер телефона, – безжалостно сказала она.

– Конечно, у собаки есть личный телефон, – объяснил Карлсон. – Скажи ей, чтобы она позвонила своей экономке и предупредила, что вернётся поздно. Мои собаки всегда звонят по телефону, когда задерживаются.

Карлсон погладил щенка своей пухлой ручкой.

– Одна из моих собак, которую, кстати, тоже зовут Альберг, как-то на днях задержалась, – продолжал Карлсон. – Она решила позвонить домой, чтобы предупредить меня, но спутала номер телефона и попала к одному старому майору в отставке, проживающему в Кунгсхольме. «Это кто-нибудь из собак Карлсона?» – осведомилась Альберг. Майор обиделся и стал ругаться: «Осёл! Я майор, а не собака!» – «Так чего ж вы меня облаяли?» – вежливо спросила Альберг. Вот какая она умница!

Малыш не слушал Карлсона. Его сейчас ничто не интересовало, кроме маленького щенка. И даже когда Карлсон сказал, что он не прочь слегка поразвлечься, Малыш не обратил на это никакого внимания. Тогда Карлсон выпятил нижнюю губу и заявил:

— Нет, так я не играю! Ты всё время возишься с этой собакой, а я тоже хочу чем-нибудь заняться.

Гунилла и Кристер поддержали Карлсона.

— Давайте устроим «Вечер чудес», — сказал Карлсон, перестав дуться. — Угадайте, кто лучший в мире фокусник?

— Конечно, Карлсон! — наперебой закричали Малыш, Кристер и Гунилла.

— Значит, мы решили, что устроим представление под названием «Вечер чудес»?

— Да, — сказали дети.

— Мы решили также, что вход на это представление будет стоить одну конфетку?

— Да, — подтвердили дети.

— И ещё мы решили, что собранные конфеты пойдут на благотворительные цели.

— Как? — удивились дети.

— А существует только одна настоящая благотворительная цель — забота о Карлсоне.

Дети с недоумением переглянулись.

— А может быть... — начал было Кристер.

— Нет, мы решили! — перебил его Карлсон. — А то я не играю.

Итак, они решили, что все конфеты получит Карлсон, который живёт на крыше.

Кристер и Гунилла выбежали на улицу и рассказали всем детям, что наверху у Малыша сейчас начнётся большое представление «Вечер чудес». И все, у кого было хотя бы пять эре, побежали в лавку и купили там «входные конфеты».

У двери в комнату Малыша стояла Гунилла; она отбирала у всех зрителей конфеты и клала их в коробку с надписью: «Для благотворительных целей».

Посреди комнаты Кристер расставил стулья для публики. Угол комнаты был отгорожен одеялом, и оттуда доносились шёпот и собачий лай.

– Что нам здесь будут показывать? – спросил мальчик по имени Кúрре. – Если какую-нибудь чепуху, я потребую назад свою конфетку.

Малыш, Гунилла и Кристер не любили этого Кирре – он вечно был всем недоволен.

Но вот из-за одеяла вышел Малыш. На руках он держал маленького щенка.

– Сейчас вы все увидите лучшего в мире фокусника и учёную собаку Альберг, – торжественно произнёс он.

– Как уже было объявлено, выступает лучший в мире фокусник, – послышался голос из-за одеяла, и перед публикой появился Карлсон.

Его голову украшал цилиндр папы Малыша, а на плечи был накинут мамин клетчатый фартук, завязанный под подбородком пышным бантом. Этот фартук заменял Карлсону чёрный плащ, в котором обычно выступают фокусники.

Все дружно захлопали. Все, кроме Кирре.

Карлсон поклонился. Вид у него был очень самодовольный. Но вот он снял с головы цилиндр и показал всем, что цилиндр пуст, – точь-в-точь как это обычно делают фокусники.

– Будьте добры, господа, убедитесь, что в цилиндре ничего нет. Абсолютно ничего, – сказал он.

«Сейчас он вынет оттуда живого кролика, – подумал Малыш. Он видел однажды в цирке выступление фокусника. – Вот будет забавно, если Карлсон и правда вынет из цилиндра кролика!»

– Как уже было сказано, здесь ничего нет, – мрачно продолжал Карлсон. – И здесь никогда ничего не будет, если вы сюда ничего не положите. Я вижу, передо мной сидят маленькие обжоры и едят конфеты. Сейчас мы пустим этот цилиндр по кругу, и каждый из вас кинет в него по одной конфете. Вы сделаете это в благотворительных целях.

Малыш с цилиндром в руках обошёл всех ребят. Конфеты так и сыпались в цилиндр. Затем он передал цилиндр Карлсону.

– Что-то он подозрительно гремит! – сказал Карлсон и потряс цилиндр. – Если бы он был полон, он бы так не гремел.

Карлсон сунул в рот конфетку и принялся жевать.

– Вот это, я понимаю, благотворительность! – воскликнул он и ещё энергичнее заработал челюстями.

Один Кирре не положил конфеты в шляпу, хотя в руке у него был целый кулёк.

– Так вот, дорогие мои друзья, и ты, Кирре, – сказал Карлсон, – перед вами учёная собака Альберг. Она умеет делать всё: звонить по телефону, летать, печь булочки, разговаривать и поднимать ножку. Словом, всё.

В этот момент щенок и в самом деле поднял ножку – как раз возле стула Кирре, и на полу образовалась маленькая лужица.

– Теперь вы видите, что я не преувеличиваю: это действительно учёная собака.

– Ерунда! – сказал Кирре и отодвинул свой стул от лужицы. – Любой щенок сделает такой фокус. Пусть этот Альберг немножко поговорит. Это будет потруднее, ха-ха!

Карлсон обратился к щенку:

– Разве тебе трудно говорить, Альберг?

– Нет, – ответил щенок. – Мне трудно говорить, только когда я курю сигару.

Ребята прямо подскочили от изумления. Казалось, говорит сам щенок. Но Малыш всё же решил, что за него говорит Карлсон. И он даже обрадовался, потому что хотел иметь обыкновенную собаку, а не какую-то говорящую.

– Милый Альберг, не можешь ли ты рассказать что-нибудь из собачьей жизни нашим друзьям и Кирре? – попросил Карлсон.

– Охотно, – ответил Альберг и начал свой рассказ. – Позавчера вечером я ходил в кино, – сказал он и весело запрыгал вокруг Карлсона.

– Конечно, – подтвердил Карлсон.

– Ну да! И рядом со мной на стуле сидели две блохи, – продолжал Альберг.

– Что ты говоришь! – удивился Карлсон.

– Ну да! – сказал Альберг. – И когда мы вышли потом на улицу, я услышал, как одна блоха сказала другой: «Ну как, пойдём домой пешком или поедем на собаке?»

Все дети считали, что это хорошее представление, хотя и не совсем «Вечер чудес». Один лишь Кирре сидел с недовольным видом.

– Он ведь уверял, что эта собака умеет печь булочки, – насмешливо проговорил Кирре.

– Альберг, ты испечёшь булочку? – спросил Карлсон.

Альберг зевнул и лёг на пол.

– Нет, не могу... – ответил он.

– Ха-ха! Так я и думал! – закричал Кирре.

– ...потому что у меня нет дрожжей, – пояснил Альберг.

Всем детям Альберг очень понравился, но Кирре продолжал упорствовать.

– Тогда пусть полетает – для этого дрожжей не нужно, – сказал он.

– Полетаешь, Альберг? – спросил Карлсон собаку.

Щенок, казалось, спал, но на вопрос Карлсона всё же ответил:

– Что ж, пожалуйста, но только если ты полетишь вместе со мной, потому что я обещал маме никогда не летать без взрослых.

– Тогда иди сюда, маленький Альберг, – сказал Карлсон и поднял щенка с пола.

Секунду спустя Карлсон и Альберг уже летели. Сперва они поднялись к потолку и сделали несколько кругов над люстрой, а затем вылетели в окно. Кирре даже побледнел от изумления.

Все дети кинулись к окну и стали смотреть, как Карлсон и Альберг летают над крышей дома.

А Малыш в ужасе крикнул:

– Карлсон, Карлсон, лети назад с моей собакой!

Карлсон послушался. Он тут же вернулся назад и положил Альберга на пол. Альберг встряхнулся. Вид у него был очень удивлённый – можно было подумать, что это его первый в жизни полёт.

– Ну, на сегодня хватит. Больше нам нечего показывать. А это тебе. Получай! – И Карлсон толкнул Кирре.

Кирре не сразу понял, чего хотел Карлсон.

– Дай конфету! – сердито проговорил Карлсон.

Кирре вытащил свой кулёк и отдал его Карлсону, успев, правда, сунуть себе в рот ещё одну конфету.

– Позор жадному мальчишке!.. – сказал Карлсон и стал поспешно искать что-то глазами. – А где коробка для благотворительных сборов? – с тревогой спросил он.

Гунилла подала ему коробку, в которую она собирала «входные конфеты». Она думала, что теперь, когда у Карлсона оказалось столько конфет, он угостит всех ребят. Но Карлсон этого не сделал. Он схватил коробку и принялся жадно считать конфеты.

– Пятнадцать штук, – сказал он. – На ужин хватит... Привет! Я отправляюсь домой ужинать.

И он вылетел в окно.

Дети стали расходиться. Гунилла и Кристер тоже ушли. Малыш и Альберг остались вдвоём, чему Малыш был очень рад. Он взял щенка на колени и стал ему что-то нашёптывать. Щенок лизнул Малыша в лицо и заснул, сладко посапывая.

Потом пришла мама из прачечной, и сразу всё изменилось. Малышу сделалось очень грустно: мама вовсе не считала, что Альбергу негде жить, – она позвонила по номеру, который был выгравирован на ошейнике Альберга, и рассказала, что её сын нашёл маленького чёрного щенка-пуделя.

Малыш стоял возле телефона, прижимая Альберга к груди, и шептал:

– Только бы это был не их щенок...

Но, увы, это оказался их щенок!

– Знаешь, сыночек, кто хозяин Бобби? – сказала мама, положив трубку. – Мальчик, которого зовут Ста́фан Альберг.

– Бобби? – переспросил Малыш.

– Ну да, так зовут щенка. Всё это время Стафан проплакал. В семь часов он придёт за Бобби.

Малыш ничего не ответил, но сильно побледнел, и глаза его заблестели. Он ещё крепче прижал к себе щенка и тихонько, так, чтобы мама не слышала, зашептал ему на ухо:

– Маленький Альберг, как бы я хотел, чтобы ты был моей собакой!

Когда пробило семь, пришёл Стафан Альберг и унёс щенка.

А Малыш лежал ничком на кровати и плакал так горько, что просто сердце разрывалось.

# Карлсон приходит на день рождения

Настало лето. Занятия в школе кончились, и Малыша собирались отправить в деревню, к бабушке. Но до отъезда должно было ещё произойти одно важное событие – Малышу исполнялось восемь лет. О, как долго ждал Малыш своего дня рождения! Почти с того дня, как ему исполнилось семь.

Удивительно, как много времени проходит между днями рождения, – почти столько же, сколько между рождественскими праздниками.

Вечером накануне этого торжественного дня у Малыша был разговор с Карлсоном.

– Завтра день моего рождения, – сказал Малыш. – Ко мне придут Гунилла и Кристер, и нам накроют стол в моей комнате... – Малыш помолчал; вид у него был мрачный. – Мне бы очень хотелось и тебя пригласить, – продолжал он, – но...

Мама так сердилась на Карлсона, что бесполезно было просить у неё разрешения.

Карлсон выпятил нижнюю губу больше, чем когда бы то ни было:

– Я с тобой не буду водиться, если ты меня не позовёшь! Я тоже хочу повеселиться.

– Ладно, ладно, приходи, – торопливо сказал Малыш.

Он решил поговорить с мамой. Будь что будет, но невозможно праздновать день рождения без Карлсона.

– А чем нас будут угощать? – спросил Карлсон, перестав дуться.

– Ну конечно, сладким пирогом. У меня будет именинный пирог, украшенный восемью свечами.

– Хорошо! – воскликнул Карлсон. – Знаешь, у меня есть предложение.

– Какое? – спросил Малыш.

– Нельзя ли попросить твою маму приготовить нам вместо одного пирога с восемью свечами восемь пирогов с одной свечой?

Но Малыш не думал, чтобы мама на это согласилась.

— Ты, наверно, получишь хорошие подарки? — спросил Карлсон.

— Не знаю, — ответил Малыш и вздохнул.

Он знал: то, чего он хотел, хотел больше всего на свете, он всё равно не получит...

— Собаку мне, видно, не подарят никогда в жизни, — сказал Малыш. — Но я, конечно, получу много других подарков. Поэтому я решил весь день веселиться и совсем не думать о собаке.

— А кроме того, у тебя есть я. Я куда лучше собаки, — сказал Карлсон и взглянул на Малыша, наклонив голову. — Хотелось бы знать, какие ты получишь подарки. Если тебе подарят конфеты, то, по-моему, ты должен их тут же отдать на благотворительные цели.

— Хорошо, если я получу коробку конфет, я тебе её отдам.

Для Карлсона Малыш был готов на всё, особенно теперь, когда предстояла разлука.

— Знаешь, Карлсон, — сказал Малыш, — послезавтра я уезжаю к бабушке на всё лето.

Карлсон сперва помрачнел, а потом важно произнёс:

— Я тоже еду к бабушке, и моя бабушка гораздо больше похожа на бабушку, чем твоя.

— А где живёт твоя бабушка? — спросил Малыш.

– В доме, а где же ещё! А ты небось думаешь, что она живёт на улице и всю ночь скачет?

Больше им не удалось поговорить ни о бабушке Карлсона, ни о дне рождения Малыша, ни о чём другом, потому что уже стемнело и Малышу нужно было поскорее лечь в постель, чтобы не проспать день своего рождения.

Проснувшись на следующее утро, Малыш лежал в кровати и ждал: он знал – сейчас отворится дверь и все войдут к нему в комнату и принесут именинный пирог и другие подарки. Минуты тянулись мучительно долго. У Малыша даже живот заболел от ожидания, так ему хотелось скорее увидеть подарки.

Но вот наконец в коридоре раздались шаги и послышались слова: «Да он, наверно, уже проснулся». Дверь распахнулась, и появились все: мама, папа, Боссе и Бетан.

Малыш сел на кровати, и глаза его заблестели.

– Поздравляем тебя, дорогой Малыш! – сказала мама.

И папа, и Боссе, и Бетан тоже сказали: «Поздравляем!» И перед Малышом поставили поднос. На нём был пирог с восемью горящими свечками и другие подарки.

Много подарков – хотя, пожалуй, меньше, чем в прошлые дни рождения: на подносе лежало всего четыре свёртка; Малыш их быстро сосчитал.

Но папа сказал:

– Не обязательно все подарки получать утром – может быть, ты получишь ещё что-нибудь днём...

Малыш был очень рад четырём свёрткам. В них оказались: коробка с красками, игрушечный пистолет, книга и новые синие штанишки. Всё это ему очень понравилось. «Какие они милые – мама, и папа, и Боссе, и Бетан! – подумал Малыш. – Ни у кого на свете нет таких милых мамы и папы и брата с сестрой».

Малыш несколько раз стрельнул из пистолета. Выстрелы получались очень громкие. Вся семья сидела у его кровати и слушала, как он стреляет. О, как они все друг друга любили!

– Подумай, восемь лет назад ты появился на свет – вот таким крошкой... – сказал папа.

– Да, – сказала мама, – как быстро идёт время! Помнишь, какой дождь хлестал в тот день в Стокгольме?

– Мама, я родился здесь, в Стокгольме? – спросил Малыш.

– Конечно, – ответила мама.

– Но ведь Боссе и Бетан родились в Ма́льмё?

– Да, в Мальмё.

– А ведь ты, папа, родился в Гётеборге? Ты мне говорил...

– Да, я гётеборгский мальчишка, – сказал папа.

– А ты, мама, где родилась?

– В Эскильстуне, – сказала мама.

Малыш горячо обнял её.

– Какая удача, что мы все встретились! – проговорил он.

И все с этим согласились.

Потом они пропели Малышу «Многие лета», а Малыш выстрелил, и треск получился оглушительный.

Всё утро Малыш то и дело стрелял из пистолета, ждал гостей и всё время размышлял о словах папы, что подарки могут появиться и днём. На какой-то счастливый миг он вдруг поверил, что свершится чудо – ему подарят собаку. Но тут же понял, что это невозможно, и даже рассердился на себя за то, что так глупо размечтался. Ведь он твёрдо решил не думать сегодня о собаке и всему радоваться.

И Малыш действительно всему радовался.

Сразу же после обеда мама стала накрывать на стол у него в комнате. Она поставила в вазу большой букет цветов и принесла самые красивые розовые чашки. Три штуки.

– Мама, – сказал Малыш, – нужно четыре чашки.

– Почему? – удивилась мама.

Малыш замялся. Теперь ему надо было рассказать, что он пригласил на день рождения Карлсона, хотя мама, конечно, будет этим недовольна.

– Карлсон, который живёт на крыше, тоже придёт ко мне, – сказал Малыш и смело посмотрел маме в глаза.

– О! – вздохнула мама. – О! Ну что ж, пусть приходит. Ведь сегодня день твоего рождения.

Мама провела ладонью по светлым волосам Малыша:

– Ты всё ещё носишься со своими детскими фантазиями. Трудно поверить, что тебе исполнилось восемь. Сколько тебе лет, Малыш?

– Я мужчина в самом расцвете сил, – важно ответил Малыш – точь-в-точь как Карлсон.

Медленно катился этот день. Уже давно настало то «днём», о котором говорил папа, но никаких новых подарков никто не приносил.

В конце концов Малыш получил ещё один подарок.

Боссе и Бетан, у которых ещё не начались летние каникулы, вернулись из школы и тут же заперлись в комнате Боссе.

Малыша они туда не пустили. Стоя в коридоре, он слышал, как за запертой дверью раздавалось хихиканье сестры и шуршание бумаги. Малыш чуть не лопнул от любопытства.

Некоторое время спустя они вышли, и Бетан, смеясь, протянула Малышу свёрток. Малыш очень обрадовался и хотел уже разорвать бумажную обёртку, но Боссе сказал:

– Нет, сперва прочти стихи, которые здесь наклеены.

Стихи были написаны крупными печатными буквами, чтобы Малыш смог их сам разобрать, и он прочёл:

Брат и сестра тебе дарят собаку.
Она не вступает с собаками в драку,
Не лает, не прыгает и не кусается,
Ни на кого никогда не бросается.
И хвостик, и лапы, и морда, и уши
У этой собаки из чёрного плюша.

Малыш молчал; он словно окаменел.

– Ну а теперь развяжи свёрток, – сказал Боссе.

Но Малыш швырнул свёрток в угол, и слёзы градом покатились по его щекам.

– Ну что ты, Малыш, что ты? – испуганно сказала Бетан.

– Не надо, не плачь, не плачь, Малыш! – растерянно повторял Боссе; видно было, что он очень огорчён.

Бетан обняла Малыша:

– Прости нас! Мы хотели только пошутить. Понимаешь?

Малыш резким движением вырвался из рук Бетан; лицо его было мокрым от слёз.

– Вы же знали, – бормотал он, всхлипывая, – вы же знали, что я мечтал о живой собаке! И нечего было меня дразнить...

Малыш побежал в свою комнату и бросился на кровать. Боссе и Бетан кинулись вслед за ним. Прибежала и мама. Но Малыш не обращал на них никакого внимания – он весь трясся от плача.

Теперь день рождения был испорчен. Малыш решил быть целый день весёлым, даже если ему и не подарят собаку. Но получить в подарок плюшевого щенка – это уж слишком! Когда он об этом вспоминал, его плач превращался в настоящий стон, и он всё глубже зарывался головой в подушку.

Мама, Боссе и Бетан стояли вокруг кровати. Всем им было тоже очень грустно.

– Я сейчас позвоню папе и попрошу его пораньше прийти с работы, – сказала мама.

Малыш плакал... Что толку, если папа придёт домой? Всё сейчас казалось Малышу безнадёжно грустным. День рождения был испорчен, и ничем уже нельзя было тут помочь.

Он слышал, как мама пошла звонить по телефону, но он всё плакал и плакал. Слышал, как папа вернулся домой, но всё плакал и плакал. Нет, никогда Малыш теперь уже не будет весёлым. Лучше всего ему сейчас умереть, и пусть тогда Боссе и Бетан возьмут себе плюшевого щенка, чтобы вечно помнить, как они зло подшутили над своим маленьким братом в тот день рождения, когда он был ещё жив...

Вдруг Малыш заметил, что все – и мама, и папа, и Боссе, и Бетан – стоят вокруг его постели, но он ещё глубже зарылся лицом в подушку.

– Послушай, Малыш, там возле входной двери тебя кто-то ждёт... – сказал папа.

Малыш не ответил.

Папа потряс его за плечо:

– Ты что, не слышишь, что тебя у двери ждёт один приятель?

– Наверно, Гунилла или там Кристер, – ворчливо отозвался Малыш.

– Нет, того, кто тебя ждёт, зовут Бимбо, – сказала мама.

– Не знаю я никакого Бимбо! – пробурчал Малыш.

– Возможно, – сказала мама. – Но он очень хочет с тобой познакомиться.

Именно в эту минуту из передней донеслось негромкое тявканье.

Малыш напряг все свои мускулы и упрямо не отрывался от подушки. Нет, ему и в самом деле пора бросить все эти выдумки...

Но вот опять в прихожей раздалось тявканье. Резким движением Малыш сел на постели.

– Это что, собака? Живая собака? – спросил он.

– Да, – сказал папа, – это собака. Твоя собака.

Тут Боссе кинулся в прихожую и минуту спустя влетел в комнату Малыша, держа на руках – о, наверно, Малышу это всё только снится! – маленькую короткошёрстую таксу.

– Это моя живая собака? – прошептал Малыш.

Слёзы застилали ему глаза, когда он протянул свои руки к Бимбо. Казалось, Малыш боится, что щенок вдруг превратится в дым и исчезнет.

Но Бимбо не исчез. Малыш держал Бимбо на руках, а тот лизал ему щёки, громко тявкал и обнюхивал уши. Бимбо был совершенно живой.

– Ну, теперь ты счастлив, Малыш? – спросил папа.

Малыш только вздохнул. Как мог папа об этом спрашивать! Малыш был так счастлив, что у него заныло где-то внутри, то ли в душе, то ли в животе. А может быть, так всегда бывает, когда ты счастлив?

– А эта плюшевая собака будет игрушкой для Бимбо. Понимаешь, Малыш? Мы не хотели дразнить тебя... так ужасно, – сказала Бетан.

Малыш всё простил. И вообще он почти не слышал, что ему говорят, потому что разговаривал с Бимбо:

– Бимбо, маленький Бимбо, ты – моя собака!

Затем Малыш сказал маме:

— Я думаю, что мой Бимбо гораздо милее Альберга, потому что короткошёрстые таксы наверняка самые лучшие собаки в мире.

Но тут Малыш вспомнил, что Гунилла и Кристер должны прийти с минуты на минуту...

О! Он и не представлял себе, что один день может принести с собой столько счастья. Подумать только, ведь они сейчас узнают, что у него есть собака, на этот раз действительно его собственная собака, да к тому же ещё самая-самая распрекрасная в мире!

Но вдруг Малыш забеспокоился:

— Мама, а мне можно будет взять с собой Бимбо, когда я поеду к бабушке?

— Ну конечно. Ты повезёшь его в этой маленькой корзинке, — ответила мама и показала специальную корзинку для перевозки собак, которую вместе со щенком принёс в комнату Боссе.

— О! — сказал Малыш. — О!

Раздался звонок. Это пришли Гунилла и Кристер. Малыш бросился им навстречу, громко крича:

— Мне подарили собаку! У меня теперь есть своя собственная собака!

— Ой, какая она миленькая! — воскликнула Гунилла, но тут же спохватилась и торжественно произнесла: — Поздравляю с днём рождения. Вот тебе подарок от Кристера и от меня. — И она протянула Малышу коробку конфет, а потом снова села на корточки перед Бимбо и повторила: – Ой, до чего же она миленькая!

Малышу это было очень приятно слышать.

– Почти такая же милая, как Ёффа, – сказал Кристер.

– Что ты, она куда лучше Ёффы и даже куда лучше Альберга! – сказала Гунилла.

– Да, она куда лучше Альберга, – согласился с ней Кристер.

Малыш подумал, что и Гунилла и Кристер очень хорошие друзья, и пригласил их к празднично убранному столу.

Как раз в эту минуту мама принесла блюдо маленьких аппетитных бутербродов с ветчиной и сыром и вазу с целой горой печенья. Посреди стола уже красовался именинный пирог с восемью зажжёнными свечами. Потом мама взяла большой кофейник с горячим шоколадом и стала разливать шоколад в чашки.

– А мы не будем ждать Карлсона? – осторожно спросил Малыш.

Мама покачала головой:

– Нет, я думаю, ждать не стоит. Я уверена, что он сегодня не прилетит. И вообще давай поставим на нём крест. Ведь у тебя ж теперь есть Бимбо.

Конечно, теперь у Малыша был Бимбо, но всё же он очень хотел, чтобы Карлсон пришёл на его праздник.

Гунилла и Кристер сели за стол, и мама стала их угощать бутербродами. Малыш положил Бимбо в корзинку и тоже сел за стол.

Когда мама вышла и оставила детей одних, Боссе сунул свой нос в комнату и крикнул:

— Не съедайте весь пирог — оставьте и нам с Бетан!

— Ладно, оставлю по кусочку, — ответил Малыш. — Хотя, по правде говоря, это несправедливо: ведь вы столько лет ели сладкие пироги, когда меня ещё и на свете не было.

— Только смотри, чтобы это были большие куски! — крикнул Боссе, закрывая дверь.

В этот самый момент за окном послышалось знакомое жужжание мотора, и в комнату влетел Карлсон.

— Вы уже сидите за столом?! — воскликнул он. — Наверно, всё уже съели?

Малыш успокоил его, сказав, что на столе ещё полным-полно угощений.

— Превосходно! — сказал Карлсон.

— А ты разве не хочешь поздравить Малыша с днём рождения? — спросила его Гунилла.

— Да-да, конечно, поздравляю! — ответил Карлсон. — Где мне сесть?

Мама так и не поставила на стол четвёртой чашки. И когда Карлсон это заметил, он выпятил нижнюю губу и сразу надулся:

— Нет, так я не играю! Это несправедливо. Почему мне не поставили чашку?

Малыш тут же отдал ему свою, а сам тихонько пробрался в кухню и принёс себе оттуда другую чашку.

— Карлсон, — сказал Малыш, вернувшись в комнату, — я получил в подарок собаку. Её зовут Бимбо. Вот она. — И Малыш показал на щенка, который спал в корзинке.

— Это отличный подарок, — сказал Карлсон. — Передай мне, пожалуйста, вот этот бутерброд, и этот, и этот... Да! — воскликнул вдруг Карлсон. — Я чуть не забыл! Ведь и я принёс тебе подарок. Лучший в мире подарок... — Карлсон вынул из кармана брюк свисток и протянул его Малышу: — Теперь ты сможешь свистеть своему Бимбо. Я всегда свищу своим собакам. Хотя моих собак зовут Альбергами и они умеют летать...

— Как, всех собак зовут Альбергами? — удивился Кристер.

— Да, всю тысячу! — ответил Карлсон. — Ну что ж, теперь, я думаю, можно приступить к пирогу.

— Спасибо, милый, милый Карлсон, за свисток! — сказал Малыш. — Мне будет так приятно свистеть Бимбо.

– Имей в виду, – сказал Карлсон, – что я буду часто брать у тебя этот свисток. Очень, очень часто. – И вдруг спросил с тревогой: – Кстати, ты получил в подарок конфеты?

– Конечно, – ответил Малыш. – От Гуниллы и Кристера.

– Все эти конфеты пойдут на благотворительные цели, – сказал Карлсон и сунул коробку себе в карман; затем вновь принялся поглощать бутерброды.

Гунилла, Кристер и Малыш тоже ели очень торопливо, боясь, что им ничего не достанется. Но, к счастью, мама приготовила много бутербродов.

Тем временем мама, папа, Боссе и Бетан сидели в столовой.

– Обратите внимание, как тихо у детей, – сказала мама. – Я просто счастлива, что Малыш получил наконец собаку. Конечно, с ней будет большая возня, но что поделаешь!

– Да, теперь-то уж, я уверен, он забудет свои глупые выдумки про этого Карлсона, который живёт на крыше, – сказал папа.

В этот момент из комнаты Малыша донеслись смех и детская болтовня. И тогда мама предложила:

– Давайте пойдём и посмотрим на них. Они такие милые, эти ребята.

– Давайте, давайте пойдём! – подхватила Бетан.

И все они – мама, папа, Боссе и Бетан – отправились поглядеть, как Малыш празднует свой день рождения.

Дверь открыл папа. Но первой вскрикнула мама, потому что она первая увидела маленького толстого человечка, который сидел за столом возле Малыша.

Этот маленький толстый человечек был до ушей вымазан взбитыми сливками.

– Я сейчас упаду в обморок... – сказала мама.

Папа, Боссе и Бетан стояли молча и глядели во все глаза.

– Видишь, мама, Карлсон всё-таки прилетел ко мне, – сказал Малыш. – Ой, какой у меня чудесный день рождения получился!

Маленький толстый человечек стёр пальцами с губ сливки и так энергично принялся махать своей пухлой ручкой маме, папе, Боссе и Бетан, что хлопья сливок полетели во все стороны.

– Привет! – крикнул он. – До сих пор вы ещё не имели чести меня знать. Меня зовут Карлсон, который живёт на крыше... Эй, Гунилла, Гунилла, ты слишком много накладываешь себе на тарелку! Я ведь тоже хочу пирога...

И он схватил за руку Гуниллу, которая уже взяла с блюда кусочек сладкого пирога, и заставил её положить всё обратно.

– Никогда не видел такой прожорливой девчонки! – сказал Карлсон и положил себе на тарелку куда больший кусок. – Лучший в мире истребитель пирогов – это Карлсон, который живёт на крыше! – сказал он и радостно улыбнулся.

– Давайте уйдём отсюда, – прошептала мама.

– Да, пожалуй, уходите, так будет лучше. А то я при вас стесняюсь, – заявил Карлсон.

– Обещай мне одну вещь, – сказал папа, обращаясь к маме, когда они вышли из комнаты Малыша. – Обещайте мне все – и ты, Боссе, и ты, Бетан. Обещайте мне никогда никому не рассказывать о том, что мы сейчас видели.

– Почему? – спросил Боссе.

– Потому, что нам никто не поверит, – сказал папа. – А если кто-нибудь и поверит, то своими расспросами не даст нам покоя до конца наших дней!

Папа, мама, Боссе и Бетан пообещали друг другу, что они не расскажут ни одной живой душе об удивительном товарище, которого нашёл себе Малыш.

И они сдержали своё обещание.

Никто никогда не услышал ни слова о Карлсоне. И именно поэтому Карлсон продолжает жить в своём маленьком домике, о котором никто ничего не знает, хотя домик этот стоит на самой обыкновенной крыше самого обыкновенного дома на самой обыкновенной улице в Стокгольме. Поэтому Карлсон до сих пор спокойно гуляет, где ему вздумается, и проказничает сколько хочет. Ведь известно, что он лучший в мире проказник!

Когда с бутербродами, печеньем и пирогом было покончено и Кристер с Гуниллой ушли домой, а Бимбо крепко спал в своей корзинке, Малыш стал прощаться с Карлсоном.

Карлсон сидел на подоконнике, готовый к отлёту. Ветер раскачивал занавески, но воздух был тёплый, потому что уже наступило лето.

– Милый, милый Карлсон, ведь ты будешь по-прежнему жить на крыше, когда я вернусь от бабушки? Наверняка будешь? – спросил Малыш.

– Спокойствие, только спокойствие! – сказал Карлсон. – Буду, если только моя бабушка меня отпустит. А это ещё неизвестно, потому что она считает меня лучшим в мире внуком.

– А ты и вправду лучший в мире внук?

– Конечно. А кто же ещё, если не я? Разве ты можешь назвать кого-нибудь другого? – спросил Карлсон.

Тут он нажал кнопку на животе, и моторчик заработал.

– Когда я прилечу назад, мы съедим ещё больше пирогов! – крикнул Карлсон. – От пирогов не толстеют!.. Привет, Малыш!

– Привет, Карлсон! – крикнул в ответ Малыш.
И Карлсон улетел.

Но в корзинке, рядом с кроваткой Малыша, лежал Бимбо и спал.

Малыш наклонился к щенку и тихонько погладил его по голове своей маленькой обветренной рукой.

– Бимбо, завтра мы поедем к бабушке, – сказал Малыш. – Доброй ночи, Бимбо! Спи спокойно.

Продолжение следует...

# Оглавление

Литературно-художественное издание
Для младшего школьного возраста

ЛИНДГРЕН Астрид

**МАЛЫШ И КАРЛСОН, КОТОРЫЙ ЖИВЁТ НА КРЫШЕ**

*Сказочная повесть*

Перевод со шведского
*Лилианны Лунгиной*

Художник
*Арсен Джаникян*

Ответственный редактор  *М. Ю. Теплова*
Художественный редактор  *Е. Р. Соколов*
Технический редактор  *С. А. Грачёва*
Корректор  *Т. И. Филиппова*
Компьютерная вёрстка  *И. И. Лысова*

Подписано в печать 11.11.2020. Формат 84 × 100 $^1/_{16}$.
Бумага офсетная. Гарнитура «Pragmatica».
Печать офсетная. Усл. печ. л. 17,16.
Доп. тираж 12 000 экз. D-ASL-19043-14-R. Заказ № 7357.
Дата изготовления 15.12.2020.
Срок службы (годности): не ограничен.
Условия хранения: в сухом помещении.

ООО «Издательская Группа «Азбука-Аттикус» —
обладатель товарного знака Machaon
115093, Москва, ул. Павловская, д. 7, эт. 2, пом. III, ком. № 1
Тел. (495) 933-76-01, факс (495) 933-76-19
E-mail: sales@atticus-group.ru

Филиал ООО «Издательская Группа «Азбука-Аттикус» в г. Санкт-Петербурге
191123, Санкт-Петербург, Воскресенская набережная, д. 12, лит. А
Тел. (812) 327-04-55
E-mail: trade@azbooka.spb.ru

ЧП «Издательство «Махаон-Украина»
Тел./факс (044) 490-99-01
e-mail: sale@machaon.kiev.ua

www.azbooka.ru;  www.atticus-group.ru

Отпечатано в России.
Отпечатано в АО «Первая Образцовая типография»,
филиал «Чеховский Печатный Двор»
142300, Московская область, г. Чехов, ул. Полиграфистов, д. 1

Знак информационной продукции (Федеральный закон № 436-ФЗ от 29.12.2010 г.)  **0+**
Товар соответствует требованиям ТР ТС 007/2011 «О безопасности продукции,
предназначенной для детей и подростков».